40 Tage
Liebe wagen

Eine Anleitung, wie du deine Partnerschaft positiv verändern kannst

Stephen & Alex
Kendrick
in Zusammenarbeit mit
Lawrence Kimbrough

LUQS
Verlag

Zunächst muss ich dich warnen.
Diese 40-tägige Reise solltest du nicht leichtfertig unternehmen.

Sie ist herausfordernd und meist schwierig, aber auch unglaublich erfüllend.
Um dich dieser Herausforderung zu stellen, brauchst du Ausdauer und eine unerschütterliche Entschlossenheit.

Du solltest dich nicht nur flüchtig auf diese Reise begeben oder sie nur kurz ausprobieren, denn jene, die bereits nach kurzer Zeit aufgeben,
berauben sich des grössten Gewinns.
Wenn du entschlossen bist, dich Tag für Tag auf die jeweilige Herausforderung einzulassen, werden sich dein Leben und deine Ehe verändern.

Betrachte es als eine Herausforderung,
die vor dir schon manch anderer bewältigt hat.

In der Bibel heißt es, Gott habe die Ehe als etwas Gutes erschaffen. Sie ist ein schönes und unbezahlbares Geschenk. Die Ehe bewahrt uns vor der Einsamkeit. Sie steigert unsere Effektivität. Sie lässt uns Familien gründen und Kinder erziehen. Sie lässt uns das Leben genießen und segnet uns mit einer intimen Beziehung.

Doch die Ehe lehrt uns noch etwas: Sie führt uns unsere Selbstbezogenheit und eigenen Probleme vor Augen. Sie fordert uns auf, uns zu verändern.

Wenn wir bereit sind, werden wir das lernen, was in einer Ehe am allerwichtigsten ist – wir werden lernen zu lieben. Diese machtvolle Verbindung ermöglicht dir zu erkennen, wie du einen anderen unvollkommenen Menschen bedingungslos lieben kannst. Das ist wunderbar. Das ist schwierig. Das ist lebensverändernd.

In diesem Buch geht es um die Liebe. Es lehrt dich Beziehungen zu anderen Menschen zu führen, die auf Liebe gegründet sind. Diese Reise beginnt mit dem Menschen, der dir am nächsten steht – deinem Partner. Möge Gott dich segnen, wenn du dich auf dieses Abenteuer einlässt.

Aber du brauchst Mut. Wenn du diese Herausforderung annimmst, musst du, anstatt deinem Herzen zu *folgen*, lernen dein Herz zu *lenken*. Die Welt sagt, dass du deinem Herzen folgen sollst. Doch wenn du es nicht führst, wird es von jemand oder etwas anderem geleitet. Denn in der Bibel heißt es: „Trügerisch ist das Herz, mehr als alles" (Jer 17,9) – es wird immer dem nachgehen, was sich gerade richtig „anfühlt".

Wir fordern dich auf umzudenken – ergreife die Initiative und entscheide dich, *dein Herz so zu lenken*, wie es langfristig am besten ist. Dies ist der Schlüssel für dauerhafte, erfüllende Beziehungen.

40 Tage Liebe wagen ist keine Anleitung, deinen Partner so zu ändern, wie du ihn gerne hättest. Hast du bereits festgestellt, dass sämtliche Bemühungen, deinen Partner zu ändern, scheiterten und mit einer Enttäuschung endeten? Bei dieser Reise geht es darum, die wirkliche Liebe zu entdecken und sie zu leben. Auch wenn du zunächst nicht sonderlich motiviert bist. Die Wahrheit ist, dass Liebe nicht nur ein Gefühl, sondern eine Entscheidung ist. Sie ist selbstlos, aufopfernd und sie bewirkt Veränderungen. Wenn die Liebe entsprechend ihrer Bestimmung aufrichtig gelebt wird, wird deine Beziehung sich sehr wahrscheinlich zum Besseren entwickeln.

Jeder Tag dieser Reise ist von drei sehr wichtigen Bestandteilen geprägt:

Zuerst wird ein bestimmter Aspekt der Liebe erörtert. Lies diese Abhandlungen sorgfältig und sei offen für neue Einsichten zu diesem Thema. Lerne, was es bedeutet, jemanden aufrichtig zu lieben.

Anschließend erhältst du eine Aufgabe: Es geht darum, dass du etwas Bestimmtes für deinen Partner tust. Manche Übungen sind leicht, andere werden dich sehr fordern. Nimm jede Herausforderung ernst und gehe mit Mut und Kreativität daran. Sei nicht deprimiert, wenn du aufgrund verschiedener Umstände dein Ziel nicht erreichst. Versuche es erneut und setze deine Reise fort.

Zum Schluss kannst du in einem eigens dafür vorgesehenen Bereich eintragen, was du gelernt und getan hast – und wie dein Partner reagiert hat. Es ist wichtig, dass du festhältst, wie es dir und deinem Partner bei den verschiedenen Übungen erging. Anhand dieser Notizen wirst du deine Fortschritte erkennen – sie könnten später von unschätzbarem Wert sein.

Du trägst die Verantwortung dafür, dein Herz zu bewahren und zu leiten. Gib nicht auf und lass dich nicht entmutigen. Entscheide dich, dein Herz zu lenken und diese Reise bis zum Schluss durchzuhalten. Zu lernen, was wahre Liebe bedeutet, gehört zu den größten Dingen, die du jemals lernen wirst.

Nun aber bleibt

Glaube, Hoffnung, Liebe, diese drei;

die Grösste aber von diesen ist die Liebe.

1 Kor 13,13

Wenn ich in den Sprachen der Menschen
und der Engel rede, aber keine Liebe habe,
so bin ich ein tönendes Erz geworden oder
eine schallende Zimbel.

Und wenn ich Weissagung habe
und alle Geheimnisse und alle Erkenntnis
weiss, und wenn ich allen Glauben habe,
so dass ich Berge versetze,
aber keine Liebe habe, so bin ich nichts.

Und wenn ich alle meine Habe
zur Speisung (der Armen) austeile und
wenn ich meinen Leib hingebe, damit ich
Ruhm gewinne, aber keine Liebe habe,
so nützt es mir nichts.

1. Korinther 13,1-3

Tag 1

Liebe ist geduldig

Erhebt euch nicht über andere, sondern seid immer freundlich. Habt Geduld und sucht in Liebe miteinander auszukommen. (Eph 4,2 – Die Gute Nachricht)

Liebe funktioniert. Sie ist die größte Motivation im Leben und hat weitaus mehr Tiefe und Bedeutung, als den meisten Menschen bewusst ist. Wer liebt, gibt immer sein Bestes. Die Liebe gibt uns Kraft für die größten Herausforderungen. Wir werden mit einem Durst nach Liebe geboren, der ein Leben lang anhält. Unser Herz braucht sie ebenso sehr, wie unsere Lungen Sauerstoff brauchen. Liebe verändert unser Leben. Erst durch sie werden Beziehungen bedeutend. Eine Ehe ohne Liebe kann nicht erfolgreich sein.

Liebe steht auf zwei Säulen, diese sind *Geduld* und *Freundlichkeit.* Alle anderen Eigenschaften von Liebe basieren darauf. Hier liegt deine Herausforderung – in der *Geduld.*

Die Liebe macht dich geduldig. Wenn du geduldig bist, reagierst du positiv auf eine negative Situation. Du wirst nicht schnell zornig. Bildlich gesprochen entscheidest du dich für „eine lange Lunte", anstatt deinem aufbrausenden Temperament schnell nachzugeben. Anstatt ruhelos und fordernd zu sein, wird Liebe dir dabei helfen zur Ruhe zu kommen und deinen Mitmenschen mit Barmherzigkeit zu begegnen. Geduld verleiht dir eine innere Ruhe, während um dich herum ein Sturm tobt.

Niemand hält sich gern in der Nähe einer ungeduldigen Person auf. Ungeduld macht dich zornig und töricht und lässt dich überreagieren. Wenn du aufgrund von Zorn in einer bestimmten Situation falsch handelst, besteht die Ironie darin, dass dieses falsche Verhalten noch zu weiteren Fehlentscheidungen führen wird. Durch *Zorn* wird fast nie irgendetwas besser. Meist entstehen dadurch nur zusätzliche Probleme. Durch *Geduld* wendest du Probleme ab.

Geduld ist wirksamer, als sich auf die Zunge zu beißen oder die Hand vor den Mund zu legen – sie ist wie ein tiefer Atemzug. Sie reinigt die Luft. Sie hindert Dummheit daran – die, bildlich gesprochen, einem giftigen Skorpionschwanz ähnelt – Schaden anzurichten. Entscheide dich dafür, deine Gefühle zu kontrollieren, anstatt ihnen zu erlauben dich zu kontrollieren. Du bist besonnen und musst nicht Böses mit Bösem vergelten.

Übst du augenblicklich Vergeltung, wenn dein Ehepartner dich verletzt, oder beherrschst du dich? Wirst du zornig, wenn du unfair behandelt wirst? Wenn dem so ist, versprühst du Gift statt Medizin.

Meist liegen die Ursachen des Zorns darin, dass sich ein starkes Verlangen nach etwas Bestimmtem mit Enttäuschung und Kummer vermischt. Wenn du nicht bekommst, was du willst, fängst du innerlich an zu brodeln. Häufig handelt es sich um eine emotionale Reaktion, die aus unserer Selbstbezogenheit, Fleischlichkeit (Dummheit, Unvernunft) oder Bosheit entsteht.

Geduld macht uns weise. Wenn wir geduldig sind, werden wir andere nicht überstürzt verurteilen, sondern uns anhören, was sie zu sagen haben. Die Geduld steht am Türeingang und verschafft sich einen Überblick über die Gesamtsituation, bevor sie ein Urteil fällt. Zorn dagegen versucht mit Gewalt hereinzubrechen. In der Bibel heißt es: „Ein Mensch, der ruhig bleibt, zeigt, dass er Einsicht hat; wer aufbraust, zeigt nur seinen Unverstand" (Spr 14,29 – Die Gute Nachricht).

Ungeduld wird dein Zuhause in ein Kriegsgebiet verwandeln, Geduld hingegen wird Frieden und Ruhe fördern. „Ein zorniger Mann erregt Streit, aber ein Langmütiger stillt den Zank (Spr 15,18 – Schlachter-Übers.). Aussagen wie diese aus dem Buch der Sprüche sind eindeutige Prinzipien von zeitloser Bedeutung. Wo Liebe und Weisheit zusammentreffen, entsteht Geduld. Damit eine Ehe gesund bleiben kann, ist diese Kombination erforderlich.

Durch Geduld erlaubst du deinem Partner „menschlich" zu sein. Ein geduldiger Mensch weiß, dass jeder Mensch seine Schwachstellen hat und versagt. Wenn jemand einen Fehler macht, gibt ein geduldiger

Mensch dieser Person mehr Zeit, als sie verdient, um diesen Fehler zu korrigieren. Durch Geduld erlangst du die Fähigkeit, auch in schwierigen Zeiten an deiner Beziehung festzuhalten und nicht davonzulaufen, wenn der Druck groß ist.

Doch kann dein Ehepartner sich darauf verlassen, dass du geduldig bist? Kann deine Ehefrau sicher sein, dass du Verständnis aufbringen und ihr keine erniedrigenden Vorträge halten wirst, die ihr das Gefühl geben, sie sei ein kleines Kind, wenn sie ihre Schlüssel im Auto eingeschlossen hat? Kann dein Ehemann sicher sein, dass er keine Liste von Dingen, die er in seiner Freizeit erledigen sollte, präsentiert bekommt, während er jubelnd die letzten Sekunden eines Fußballspiels verfolgt? Es gibt nur wenige Menschen, mit denen das Zusammenleben so schwierig ist, wie mit ungeduldigen Personen.

Welcher Umgangston und welche Lautstärke würden in deinem *Zuhause* herrschen, wenn du dieser biblischen Anweisung folgst: „Achtet darauf, dass niemand von euch Böses mit Bösem heimzahlt. Bemüht euch vielmehr stets, das Gute zu tun, im Umgang miteinander und mit allen Menschen" (1 Thess 5,15 – DIE GUTE NACHRICHT).

Nur wenige von uns sind gut darin, sich in Geduld zu üben, und keiner von uns tut es von Natur aus. Doch weise Männer und Frauen werden ihr „nachjagen", weil sie ein wesentlicher Bestandteil für ihre Ehe ist. Das ist eine gute Ausgangsbasis, um echte Liebe zu demonstrieren.

Diese „Liebeswagnis-Reise" ist ein Prozess. Das Erste, was du beschließen solltest, ist, dass du versuchst geduldig zu sein. Stell dir diesen Prozess wie einen Marathonlauf vor und nicht wie einen Sprint. Es lohnt sich, diesen Lauf zu laufen.

Die heutige Herausforderung

Der erste Teil dieser Herausforderung ist recht einfach. Während Liebe auf die unterschiedlichste Weise vermittelt werden kann, sagen unsere Worte häufig etwas über den Zustand unseres Herzens aus. Nimm dir für den nächsten Tag vor, geduldig zu sein und deinem Partner absolut nichts Negatives zu sagen. Solltest du in Versuchung kommen, entscheide dich dafür, gar nichts zu sagen. Es ist besser zu schweigen, als etwas zu sagen, was du hinterher bereust.

__ Setze hier ein Häkchen, wenn du deine heutige Herausforderung bewältigt hast.

- Hast du dich heute über deinen Partner geärgert?
- Warst du in der Versuchung, etwas Missbilligendes zu sagen?

Jeder Mensch sei schnell zum Hören, langsam zum Reden, langsam zum Zorn! (Jak 1,19)

Tag 2

Liebe ist freundlich

Seid aber gegeneinander freundlich und barmherzig und vergebt einander, gleichwie auch Gott euch vergeben hat in Christus. (Eph 4,32 – Schlachter-Übers.)

Freundlichkeit ist ein Ausdruck von Liebe. Geduld zeigt sich darin, wie die Liebe *reagiert*, um einen negativen Umstand so gering wie möglich einzustufen, während Freundlichkeit bestimmt, wie die Liebe *agiert*, um einen positiven Umstand so hoch wie möglich zu bewerten. Geduld vermeidet ein Problem und Freundlichkeit kreiert einen Segen. Ein geduldiger Mensch handelt vorausschauend, ein freundlicher Mensch ergreift die Initiative. Diese beiden Aspekte von Liebe sind die Grundsteine, auf denen viele weitere Eigenschaften aufbauen, über die wir später noch reden werden.

Liebe macht aus dir einen freundlichen Menschen. Und Freundlichkeit macht dich zu einem sympathischen Menschen. Wenn du freundlich bist, wollen Menschen in deiner Nähe sein. Sie wissen, dass du gut zu ihnen bist und dass deine Nähe ihnen guttut.

Die Bibel hebt die Bedeutung von Freundlichkeit hervor: „Freundlichkeit und Wahrheit sollen dich nicht verlassen. Binde sie um deinen Hals, schreibe sie auf die Tafel deines Herzens, so wirst du Gunst und Wohlgefallen erlangen in den Augen Gottes und der Menschen" (Spr 3,3-4, teilweise frei wiedergegeben). Freundliche Menschen erhalten überall Unterstützung, sogar zu Hause. Häufig ist es schwierig, Freundlichkeit zu definieren und zu leben – unsere Vorstellung von Freundlichkeit ist oft ungenau. Deshalb wollen wir den Begriff Freundlichkeit in vier Hauptbestandteile aufteilen.

Sanftmut: Wenn du aus einer freundlichen Haltung heraus handelst, achtest du darauf, wie du deinen Partner behandelst – du handelst nicht übermäßig streng. Du bist verständnisvoll – liebevoll. Selbst wenn du schwierige Punkte ansprechen musst, gibst du dir die allergrößte Mühe, deinem Partner deine Zurechtweisung oder deine

Anregung so schonend wie möglich nahezubringen. Du sagst die Wahrheit in Liebe.

Hilfsbereitschaft: Freundlich zu sein bedeutet, dass du dich um die Dinge kümmerst, die gerade anstehen. Wenn Hausarbeit zu erledigen ist, schreitest du zur Tat. Wird jemand gebraucht, der zuhört? Du bist zur Stelle. Freundlichkeit verleiht einer Ehefrau die Fähigkeit, ihrem Mann zu dienen, ohne um ihre eigenen Rechte zu fürchten. Sie weckt in ihrem Ehemann die Neugier, entdecken zu wollen, was seine Frau braucht. Seine Freundlichkeit bestärkt ihn in seinem Vorhaben seine Frau zu unterstützen, auch wenn er hinsichtlich der Erfüllung seiner eigenen Bedürfnisse noch warten muss.

Bereitwilligkeit: Freundlichkeit bewirkt, dass du ein umgänglicher Mensch wirst. Anstatt unnachgiebig, widerwillig und stur zu sein, kooperierst du und bist einfühlsam. Anstatt zu jammern und Entschuldigungen vorzubringen, suchst du nach Lösungen und überlegst, wie du dem anderen entgegenkommen kannst. Ein freundlicher Ehemann verhindert Streitereien, indem er zunächst erst einmal zuhört, anstatt auf seiner Sichtweise zu bestehen.

Die Initiative ergreifen: Ein freundlicher Mensch denkt voraus und unternimmt dann den ersten Schritt.

Er sitzt nicht einfach nur herum und wartet, bis er aufgefordert oder gezwungen wird, ehe er sich vom Sofa erhebt. Ein liebenswürdiger Ehepartner ist derjenige, der zuerst reagiert, zuerst lächelt, zuerst dient und zuerst vergibt. Der liebenswürdige Ehepartner verlangt vom anderen nicht, dass er sich zurücknimmt, bevor er seine Liebe zeigt. Wenn du freundlich bist, erkennst du das Bedürfnis und machst den ersten Schritt.

Jesus beschrieb die Freundlichkeit, die mit Liebe einhergeht, sehr ausdrucksvoll in dem Gleichnis vom barmherzigen Samariter. Wir finden diese Geschichte in der Bibel, und zwar im 10. Kapitel des Lukasevangeliums. Ein jüdischer Mann wurde von Räubern angegriffen. Er wurde halb tot auf einer einsamen Straße zurückgelassen. Zwei religiöse Führer, die beim Volk sehr angesehen waren, liefen an diesem Mann vorbei – ohne stehen zu bleiben. Sie meinten, sie seien zu beschäftigt, zu wichtig und sie wollten keinesfalls ihre Hände beschmutzen. Doch ein einfacher Mann aus einer anderen Volksgruppe – den verhassten Samaritern, deren heftige Abneigung gegen die Juden auf Gegenseitigkeit beruhte – sah den Fremden und hatte Erbarmen. Er blieb stehen, um dem Mann zu helfen und überwand dabei sämtliche kulturellen Barrieren – außerdem nahm er in Kauf, verspottet zu werden. Er verband die Wunden des Mannes, setzte ihn auf seinen Esel, brachte ihn in Sicherheit und bezahlte die Kosten für seine medizinische Versorgung aus der eigenen Tasche.

Wo jahrelanger Rassismus Streit und Trennung verursacht hatte, brachte eine freundliche Handlung zwei Feinde zusammen. Dieser Mann zeigte Sanftmut, Hilfsbereitschaft und Bereitwilligkeit. Er ergriff die Initiative und demonstrierte in jeder Hinsicht wahre Freundlichkeit.

War Freundlichkeit nicht eines der wesentlichen Dinge, die euch als Ehepaar überhaupt erst zusammenbrachte? Hattest du bei eurer Eheschließung nicht die Erwartung, dich für den Rest eures gemeinsamen Lebens an der Freundlichkeit deines Partners freuen zu können? Hatte dein Ehepartner nicht auch die gleichen Erwartungen an dich?

Auch wenn dieses Verlangen im Laufe der Jahre weniger werden kann, für die Freude in eurer Ehe ist entscheidend, wie ihr tagtäglich miteinander umgeht. In der Bibel wird eine Frau beschrieben, die von ihrem Mann und ihren Kindern gelobt und gerühmt wird. Zu ihren guten Eigenschaften gehörte unter anderem: „Ihren Mund öffnet sie mit Weisheit und freundliche Weisung ist auf ihrer Zunge“ (Spr 31,26). Wie sieht es bei dir aus? Wo würde dein Ehepartner dich auf einer „Freundlichkeitsskala“ einstufen?

Wie schroff bist du? Wie behutsam und wie hilfsbereit? Wartest du, bis du gefragt wirst, oder ergreifst du selbst die Initiative, um zu helfen? Warte nicht, ob dein Partner dir zuerst freundlich begegnet.

Es ist schwer, Liebe zu zeigen, wenn du dafür keine oder wenig Motivation verspürst. Doch Liebe – in ihrer eigentlichen Bedeutung – basiert nicht auf Gefühlen.

Vielmehr entscheidet sich die Liebe dafür, durch wohlüberlegte Handlungen Zeichen zu setzen – selbst dann, wenn dieses Verhalten scheinbar nicht belohnt wird. Du wirst nie lernen zu lieben, wenn du nicht lernst, freundlich zu sein.

Die heutige Herausforderung

Abgesehen davon, dass du heute wieder nichts Negatives zu deinem Partner sagst, bringe durch mindestens eine unerwartete Geste Freundlichkeit zum Ausdruck.

__ Setze hier ein Häkchen, wenn du
deine heutige Herausforderung bewältigt hast.

- Was hast du heute über „Liebe“ herausgefunden? Was hast du anlässlich dieser Herausforderung konkret getan? Wie hast du Freundlichkeit zum Ausdruck gebracht?

Gewinn für den Menschen ist seine Mildtätigkeit. (Spr 19,22)

Tag 3

Liebe ist nicht selbstsüchtig

In der Bruderliebe seid herzlich zueinander,
in Ehrerbietung einer dem anderen vorangehend. (Röm 12,10)

Wir leben in einer Welt, die von Ichbezogenheit geprägt ist. Die Kultur, in der wir leben, lehrt uns, dass wir uns vorrangig auf unser äußeres Erscheinungsbild, unsere Gefühle und unsere persönlichen Wünsche konzentrieren sollen. Man gewinnt den Eindruck, dass es das Ziel sei, man müsse dem Maximum an persönlicher Zufriedenheit nachjagen. Wie gefährlich ein solches Denken ist, offenbart sich auf schmerzliche Weise, wenn man erst einmal verheiratet ist.

Wenn es jemals ein Wort gab, welches das Gegenteil von Liebe beschreibt, dann ist es *Selbstsucht.* Unglücklicherweise handelt es sich hierbei um eine Eigenschaft, die jeder Mensch bereits von Geburt an in sich trägt. Du kannst es am Verhalten von Kindern erkennen, aber auch daran, wie Erwachsene häufig miteinander umgehen. Nahezu jede sündige Handlung hat ihre Ursache in einem selbstsüchtigen Motiv. Wir hassen diese Eigenschaft bei anderen, rechtfertigen aber unser eigenes selbstsüchtiges Verhalten. Doch du kannst deinen Partner nicht auf sein selbstsüchtiges Verhalten hinweisen, ohne zuzugeben, dass du selbst auch selbstsüchtig sein kannst. Das wäre heuchlerisch.

Warum legen wir an uns selbst so niedrige und an unseren Partner so hohe Maßstäbe an? Die Antwort ist eine bittere Pille, die wir schlucken müssen: *Wir alle sind selbstsüchtig.*

Es ist ein Zeichen von Selbstsucht, wenn einem verheirateten Mann seine Interessen, Wünsche und Prioritäten wichtiger sind als seine Frau. Wenn eine Frau sich ständig darüber beklagt, wie viel Zeit sie darauf verwendet, sich um die Bedürfnisse ihres Ehemanns zu kümmern, ist das auch ein Zeichen von

Selbstsucht. Doch Liebe „sucht nicht das ihre" (1 Kor 13,5). Eheleute, die sich lieben – jene, die sich wirklich an ihrer Ehe erfreuen – sind darauf bedacht, sich, trotz der Fehler des anderen, gut um den Menschen zu kümmern, mit dem sie ihr Leben teilen. Denn wahre Liebe sucht nach Möglichkeiten, um den anderen zu bestätigen.

Ein ironischer Aspekt von Selbstsucht besteht darin, dass sogar edelmütige Handlungen selbstsüchtig sein können – und zwar dann, wenn man aus dem Motiv heraus handelt, Anerkennung oder sonstige Belohnungen zu erlangen. Also auch wenn du etwas Gutes tust, um deinen Partner „hinterlistig" zu manipulieren, bist du selbstsüchtig. Das heißt im Endeffekt: Entweder triffst du Entscheidungen aus Liebe zu anderen Menschen oder weil du dich liebst.

Erfüllte Liebe ist immer auf das Wohlergehen anderer ausgerichtet. Du kannst nicht gleichzeitig aus wahrer Liebe und aus Selbstsucht handeln. Die Entscheidung, deinen Ehepartner zu lieben, bedeutet, dass du deine eigenen Wünsche verleugnen und dich um die deines Partners kümmern kannst. Das Glück deines Partners ist dir also wichtiger als dein eigenes. Das bedeutet nicht, dass du selbst niemals Glück erfahren kannst – aber nicht auf Kosten deines Partners, um selbst in den Genuss dieses Glücks zu kommen.

Liebe führt zu einer inneren Freude. Wenn das Wohlergehen deines Partners für dich oberste Priorität hat, erlebst du eine Erfüllung, die du durch selbstsüchtiges Handeln niemals erfahren wirst. Gott ist der Urheber dieses Gewinns, den er für jene reserviert hat, die aufrichtige Liebe zeigen. Die Wahrheit ist: Wenn du deine eigenen Rechte deinem Partner zuliebe aufgibst, erreicht eure Ehe ihre höhere Bestimmung.

Niemand kennt dich so gut wie dein Ehepartner. Er wird zuerst bemerken, dass du bereitwillig deine eigenen Bedürfnisse und Wünsche opferst, um dafür zu sorgen, dass seine Bedürfnisse erfüllt werden.

Falls du es schwer findest, deine eigenen Wünsche zum Wohle deines Partners aufzugeben, hast du möglicherweise ein größeres Problem mit deiner Selbstsucht, als du es dir eingestehen willst.

Stelle dir diese Fragen:

- Möchte ich wirklich das Beste für meinen Partner?
- Möchte ich, dass mein Partner sich von mir geliebt weiß?
- Glaubt mein Partner, dass ich sein Bestes will?
- Hat mein Partner von mir den Eindruck, dass ich zuerst an mich denke?

Ob es dir gefällt oder nicht, deine Mitmenschen, insbesondere dein Partner, haben ein Bild von dir. Spiegelt dieses Bild eine liebevolle Person wider? Bedenke, dass dein Partner ebenfalls mit der Herausforderung konfrontiert ist, eine selbstsüchtige Person zu lieben. Entscheide dich also ganz bewusst dafür, dass du der Erste bist, der seinem Partner wahre Liebe zeigt. Schließlich werdet ihr beide eine größere Erfüllung finden.

„Tut nichts aus Selbstsucht oder nichtigem Ehrgeiz, sondern in Demut achte einer den anderen höher als sich selbst“ (Phil 2,3).

Die heutige Herausforderung

Alles wofür du deine Zeit, deine Energie und dein Geld verwendest, wird für dich an Bedeutung zunehmen. Es ist schwer, sich um etwas zu kümmern, für das man nichts investiert hat. Abgesehen davon, dass du keine negativen Bemerkungen machst, kaufe etwas für deinen Ehepartner, das ausdrückt: „Ich habe heute an dich gedacht."

__ Setze hier ein Häkchen, wenn du deine heutige Herausforderung bewältigt hast.

- Was hast du deinem Partner geschenkt? Was geschah, als du ihm das Geschenk gegeben hast?

Tag 3 – Liebe ist nicht selbstsüchtig

Denn wo Neid und Selbstsucht ist, da ist Unordnung. (Jak 3,16 – Schlachter-Übers.)

TAG 4

Liebe ist aufmerksam

Und wie kostbar sind mir deine Gedanken ...
Wie ist ihre Summe so gewaltig! Wollte ich sie zählen – sie sind zahlreicher als der Sand. (Ps 139,17-18 – SCHLACHTER-ÜBERS.)

Liebe macht sich Gedanken. Sie ist kein geistloses Gefühl, das nur auf emotionalen Wellen reitet, dabei aber gedanklich einschläft. Sie ist immer wachsam, weil sie weiß, dass liebevolle Gedanken zu liebevollen Taten führen.

Als du dich verliebt hast, war es ganz natürlich, dass du dir Gedanken gemacht hast. Du hast stundenlang vom Aussehen deiner geliebten Person geträumt. Du hast dich gefragt, was der andere wohl gerade tut, du hast dir überlegt, welche eindrucksvollen Dinge du sagen könntest. Du hast dich an den süßen Erinnerungen der gemeinsam verbrachten Stunden erfreut. Du hast es ehrlich gemeint, als du gesagt hast: „Ich muss ständig an dich denken."

Doch bei den meisten Paaren verändern sich die Dinge nach der Hochzeit. Die Frau hat nun endlich ihren Mann und der Mann seine Trophäe. Die Suche und die Jagd sind vorbei. Die Funken der Romantik werden langsam zu grauer Asche und das Interesse, an den anderen zu denken, erkaltet. Deine Aufmerksamkeit gilt jetzt immer mehr anderen Dingen – du konzentrierst dich auf deine Arbeit, deine Freunde, deine Probleme, deine persönlichen Wünsche und auf dich selbst. Nach einer Weile beginnst du, unbewusst die Bedürfnisse deines Partners zu ignorieren.

Doch an der Tatsache, dass durch deine Eheschließung ein anderer Mensch in dein persönliches Universum kam, hat sich nichts geändert. Wenn du nun diesen Menschen nicht ständig in deine Gedanken mit einbeziehst, stellst du schließlich fest, dass du unaufmerksam geworden bist, und erlebst dadurch einige Überraschungen.

„Heute ist unser Hochzeitstag?"

„Warum hast du mich nicht in diese Entscheidung mit einbezogen?"

„Denkst du eigentlich immer nur an dich selbst?"

Wenn du nicht lernst, aufmerksam zu sein, wirst du irgendwann bedauern, dass du viele Gelegenheiten, deine Liebe zu zeigen, nicht genutzt hast. Gedankenlosigkeit ist der stille Feind einer Beziehung, die auf Liebe aufbaut.

Jetzt mal ehrlich – Männer haben häufiger mit Gedankenlosigkeit zu kämpfen als Frauen. Ein Mann kann sich wie ein Laser auf eine Sache konzentrieren und dabei den Rest der Welt vergessen. Obwohl ihm das in einem bestimmten Bereich von Nutzen sein kann, wird er doch möglicherweise andere Dinge übersehen, die ebenfalls seine Aufmerksamkeit erfordern.

Auf der anderen Seite ist eine Frau in der Lage, viele Dinge gleichzeitig im Blick zu haben. Während sie telefoniert, kann sie kochen und sie weiß auch noch, wo im Haus sich die Kinder gerade aufhalten – dabei wundert sie sich, weshalb ihr Mann nicht hilft ... und das alles zur gleichen Zeit. Hinzu kommt, dass eine Frau beziehungsorientiert denkt. Wenn sie mit einer Sache beschäftigt ist, weiß sie um all die Menschen, die in irgendeiner Weise damit verbunden sind.

Hier wird deutlich, dass die Frau von Gott geschaffen wurde, um den Mann zu vervollständigen. So sagte Gott zu Beginn der Schöpfung: „Es ist nicht gut, dass der Mensch allein sei; ich will ihm eine Hilfe machen, die ihm entspricht" (1 Mose 2,18). Doch dies ist der Nährboden für Missverständnisse.

So tendieren Männer dazu, in Schlagzeilen zu denken und exakt das zu sagen, was sie denken. Es ist einfach, diese Botschaften zu verstehen. Ihre Worte sind eher wortwörtlich zu nehmen und bedürfen keiner intensiven Auswertung. Frauen denken und sprechen zwischen den Zeilen. Sie neigen dazu, Dinge anzudeuten. Ein Mann muss häufig genau hinhören, um die volle Bedeutung dessen zu erfassen, was eine Frau nur andeutet.

Wenn ein Ehepaar nicht um diese Dinge weiß, kann das endlose Unstimmigkeiten zur Folge haben. Frustriert fragt er sich, weshalb sie in Rätseln spricht und nicht geradeheraus sagt, was sie meint. Frustriert fragt sie sich, weshalb er so unsensibel ist und nicht eins und eins zusammenzählt, um es herauszufinden.

Eine Frau sehnt sich sehr nach der Aufmerksamkeit ihres Mannes. Seine Aufmerksamkeit trägt dazu bei, dass sie sich geliebt fühlt. Ein weiser Mann wird wie ein Detektiv zuhören, wenn sie spricht, um die unausgesprochenen Bedürfnisse und Wünsche zu entdecken, die ihre Worte beinhalten. Wenn sie ständig für ihn die Teile zusammensetzen muss, verpasst er die Gelegenheit, ihr seine Liebe zu zeigen.

Das erklärt auch, weshalb Frauen über ihre Männer verärgert sind, ohne ihnen den Grund dafür zu sagen. Die Frau denkt: „Ich sollte es ihm nicht auseinanderklamüsern. Er sollte in der Lage sein zu erkennen, was hier los ist, wenn er sich die Situation genauer ansieht." Zur selben Zeit ist er bekümmert, weil er nicht ihre Gedanken lesen kann und er fragt sich, weshalb er für ein Vergehen bestraft wird, das er nicht begangen hat.

Liebe erfordert beiderseitige Aufmerksamkeit – sodass durch die konstruktive Kombination aus Geduld, Freundlichkeit und Selbstlosigkeit Brücken gebaut werden. Liebe lehrt dich, Kompromisse zu finden und die einzigartige Denkweise deines Partners zu respektieren und wertzuschätzen.

Ein Ehemann sollte seiner Frau zuhören und lernen, ihre unausgesprochenen Botschaften zu verstehen. Eine Frau sollte lernen, sich geradeheraus mitzuteilen und nicht etwas zu sagen, was sie in Wirklichkeit anders meint.

Doch du bist oft verärgert und frustriert – du folgst dem zerstörerischen Muster: „Erst mal schauen, was passiert und hinterher über Veränderungen nachdenken." In solchen Momenten redest du barsch – ob das, was du sagst, richtig war, entscheidest du später. Die Liebe lehrt dich, erst deinen Verstand zu gebrauchen und dann deine Lippen. Liebe überlegt, bevor sie spricht. Sie filtert die Worte mit einem Netz aus Wahrheit und Güte.

Wann hast du dir zum letzten Mal ein paar Minuten Zeit genommen, um darüber nachzudenken, wie du deinen Partner besser verstehen und ihm Liebe zeigen könntest? Welches aktuelle Bedürfnis kannst du erfüllen? Welches ist das nächste Ereignis (Hochzeitstag, Geburtstag, Urlaub), für das du Vorbereitungen treffen kannst? Großartige Ehen sind das Resultat eines aufmerksamen Miteinanders.

Die heutige Herausforderung

Melde dich heute im Laufe des Tages bei deinem Ehepartner – nur um ihn zu fragen, wie es ihm geht und ob du irgendetwas für ihn tun kannst.

__ Setze hier ein Häkchen, wenn du
deine heutige Herausforderung bewältigt hast.

- Was hast du heute über dich und deinen Partner gelernt? Wie könnte dies zu einer selbstverständlichen „Routine“ und zu einem wirklich hilfreichen Bestandteil deines Lebensstils werden?

Ich danke meinem Gott bei jeder Erinnerung an euch. (Phil 1,3)

Tag 5

Liebe ist höflich

Wenn einer seinen Nächsten am frühen Morgen mit lauter Stimme segnet, so wird ihm das als ein Fluch angerechnet. (Spr 27,14 – Schlachter-Übers.)

Nichts verärgert andere schneller als unhöfliches Benehmen. Das bedeutet, dass in Gegenwart anderer Dinge gesagt oder getan werden, die für diese Menschen unangenehm sind. Jemand, der sich unhöflich verhält, tut Dinge, die für andere unangenehm, beschämend und unerfreulich sind. In einer Ehe kann sich ein solches Verhalten beispielsweise durch ein loses Mundwerk, schlechte Tischmanieren oder durch sarkastische Bemerkungen ausdrücken. Von welcher Seite du es auch betrachtest, niemand ist gerne mit einer unhöflichen Person zusammen. Für denjenigen, der sich so benimmt, mag dieses Verhalten keine Bedeutung haben, aber für die Menschen, die damit konfrontiert sind, ist es unangenehm.

Wie immer hat die Liebe auch hierzu etwas zu sagen. Wenn ein Mann von der Liebe geleitet wird, verhält er sich bewusst so, dass seine Frau sich gern in seiner Nähe aufhält. Wenn sie ihm ihre Liebe zeigen will, vermeidet sie bewusst die Dinge, die ihn frustrieren oder ihm Unbehagen bereiten.

Mit einem Wort: Wahre Liebe hält sich an Regeln. Allein dieses Prinzip kann für frischen Wind in deiner Ehe sorgen. Durch gute Manieren zeigst du deinem Partner: „Ich schätze dich so sehr, dass ich mich in Selbstbeherrschung übe, wenn wir zusammen sind. Ich möchte ein Mensch sein, mit dem man gerne zusammen ist.“ Wenn du zulässt, dass die Kraft der Liebe dein Verhalten verändert – und sei es auch nur ein klein wenig – sorgst du für ein respektvolles Miteinander. Menschen mit guten Umgangsformen bewirken häufig, dass in ihrer Umgebung der Grad des Respekts auf ein höheres Niveau angehoben wird.

Meistens benimmst du dich Freunden oder vollkommen fremden Menschen gegenüber anders als zu Hause. Bist du zu Hause auch schlechter Laune, du bist freundlich, sobald es klingelt, und öffnest die Haustür für einen Fremden mit einem Lächeln im Gesicht. Doch wenn du liebst, gibst du auch deiner Familie gegenüber dein Bestes. Wenn nicht die Liebe dein Antrieb ist, die notwendigen Veränderungen in dir vorzunehmen, dann wird deine Ehe darunter leiden.

Frauen neigen dazu, in bestimmten Bereichen ein wesentlich besseres Benehmen an den Tag zu legen als Männer. Manchmal kann das auch unangenehm sein. König Salomo sagte: „Besser auf dem Dach in einer Ecke wohnen, als eine zänkische Frau und ein gemeinsames Haus" (Spr 25,24). Männer sollten vor allem folgende wichtige Lektion der Bibel lernen: „Gut (steht es um den) Mann, der gütig ist" (Ps 112,59). Ein besonnener Mann findet heraus, was richtig ist und ändert sein Verhalten dementsprechend.

Es gibt zwei Hauptgründe, warum Menschen sich ungehobelt benehmen: *Unwissenheit* und *Selbstsucht*. Natürlich ist weder das eine noch das andere gut. Wenn ein Kind geboren wird, weiß es nichts von Benimmregeln – viel Anleitung und Übung sind erforderlich. Erwachsene zeigen ihre Unwissenheit jedoch auf einer ganz anderen Ebene. Du kennst zwar die Regeln, aber es ist durchaus möglich, dass du nicht bemerkst, wie du sie ständig brichst. Oder sie sind dir egal, weil du zu selbstbezogen bist. Es kann sogar so weit gehen, dass dir gar nicht bewusst ist, wie unangenehm ein Zusammenleben mit dir ist.

Überprüfe dich anhand dieser Fragen:

- Wie empfindet dein Partner die Art und Weise, wie du sprichst und dich in seiner Gegenwart verhältst?
- Inwiefern beeinflusst dein Verhalten das Selbstwertgefühl und die Selbstachtung deines Partners?
- Würde dein Partner sagen, dass du ein Segen für ihn bist, oder dass dein Verhalten eher herablassend und unangenehm wirkt?

Wenn du glaubst, dass nicht du, sondern dein Partner sich in diesen Bereichen verändern muss, leidest du vermutlich unter völliger Ignoranz und bist dazu noch selbstsüchtig. Bedenke, Liebe benimmt sich nicht rücksichtslos, sondern sie hebt dich auf ein höheres Niveau.

Wünschst du dir, dass dein Partner die Dinge unterlässt, über die du dich ärgerst? Dann ist es Zeit, dass du ebenfalls die Dinge unterlässt, über die sich dein Partner ärgert. Wirst du so rücksichts- und liebevoll sein, dass du die Verhaltensmuster ablegst, die für deinen Partner unangenehm sind? Wirst du es wagen, für deinen Partner eine Freude zu sein?

Hier sind drei Leitsätze – Benimmregeln, die du in deiner Ehe praktisch umsetzen kannst:

1. *Halte dich an die „goldene Regel“*: Behandle deinen Partner so, wie du selbst behandelt werden möchtest (siehe Lk 6,31).
2. *Keine unterschiedlichen Maßstäbe:* Verhalte dich gegenüber deinem Partner genauso rücksichtsvoll wie Fremden oder Arbeitskollegen gegenüber.
3. *Komme Aufforderungen nach:* Beachte, wozu dein Partner dich bereits aufgefordert hat – Dinge, die du tun oder lassen sollst. Frage nach, wenn du es nicht mehr genau weißt.

Die heutige Herausforderung

Fordere deinen Partner auf, dir drei Dinge zu nennen, die bei ihm Unbehagen und Ärger auslösen. Sei dabei nicht vorwurfsvoll und rechtfertige dein Verhalten nicht. Es geht hierbei ausschliesslich um die Sichtweise deines Partners.

__ Setze hier ein Häkchen, wenn du deine heutige Herausforderung bewältigt hast.

- Welche Punkte hat dein Partner dir genannt? Wie bist du mit dieser Kritik umgegangen? Wie hast du vor, dich in diesen Bereichen zu verbessern?

Die Worte aus dem Mund eines Weisen sind anmutig. (Pred 10,12 – Schlachter-Übers.)

Tag 6

Liebe ist nicht empfindlich

Besser ein Langmütiger als ein Held, und besser, wer seinen Geist beherrscht, als wer eine Stadt erobert. (Spr 16,32)

Liebe lässt sich nicht leicht verärgern und sie vergibt schnell. Wie leicht wirst du ärgerlich und wie schnell bist du beleidigt? Manche Menschen leben nach dem Motto: „Lass dir keine Gelegenheit entgehen, dich über deinen Ehepartner aufzuregen." Wenn irgendetwas nicht klappt, nutzen sie augenblicklich die Situation, um zu zeigen, wie verletzt und frustriert sie sind. Das ist das Gegenteil einer liebevollen Reaktion.

Empfindlich sein bedeutet: „am seidenen Faden zu hängen". Dann kann es leicht passieren, dass dieser reißt. Leicht reizbare Menschen sind emotional aufgeladen und neigen zu Überreaktionen.

Selbst unter Druck wird Liebe nicht griesgrämig reagieren. Kleine Probleme führen nicht automatisch zu heftigen Reaktionen. Tatsächlich reagiert Liebe nicht ärgerlich oder gekränkt, es sei denn, Gott sieht einen berechtigten Grund darin. Ein liebevoller Ehemann bleibt ruhig und geduldig. Er wird barmherzig reagieren und seine schlechte Laune unterdrücken. Wut und Gewalt sind ausgeschlossen. Eine liebevolle Ehefrau ist nicht überempfindlich und mürrisch, sondern sie hat ihre Emotionen unter Kontrolle. Sie entscheidet sich, eine Blume unter Dornen zu sein und reagiert auch in heiklen Situationen freundlich.

Wenn du liebst, wirst du eine Freude für deinen Partner sein und dich nicht wie ein Narr verhalten. Stelle dir selbst die Frage: „Bin ich eine sanfte Brise oder ein Sturm, der gleich losbricht?"

Weshalb sind Menschen gereizt? Es gibt mindestens zwei Dinge, die dazu beitragen können.

Stress. Stress belastet dich; Stress raubt dir die Energie – er greift deine Gesundheit an und macht dich schnell mürrisch.

Stress kann durch Beziehungsprobleme ausgelöst werden: Streitereien, Trennung, Bitterkeit. Weitere Ursachen können sein: Überarbeitung, sich selbst überfordern, finanzielle Probleme. Stress kann auch auf Mangelerscheinungen zurückzuführen sein: zu wenige Ruhepausen; schlechte Ernährung; zu wenig Bewegung. Häufig erlegen wir uns diese Lasten selber auf und sind deshalb leicht reizbar.

Das Leben ist ein Marathon und kein Sprint. Das bedeutet: Du brauchst Ausgewogenheit. Du musst Prioritäten setzen und dir deine Kräfte einteilen. Zu häufig werfen wir alle Bedenken über Bord – wir laufen so schnell wir können und tun das, was wir gerade für das Richtige halten. Schon sehr bald schnappen wir nach Luft, bekommen Krämpfe und wollen aufgeben. Unsere Geduld und unsere Beziehung können sich unter der steigenden Belastung abnutzen.

Die Bibel kann dir helfen, ungesunden Stress zu vermeiden. Sie lehrt dich, deine Beziehungen von Liebe bestimmen zu lassen, damit du nicht in unnötige Auseinandersetzungen gerätst (siehe Kol 3,12-14). Sie lehrt dich deine Probleme durchzubeten, anstatt sie aus eigener Kraft in Angriff zu nehmen (siehe Phil 4,6-7), Aufgaben abzugeben, wenn du überarbeitet bist (siehe 2 Mose 18,17-23) und übermäßigen Genuss zu vermeiden (siehe Spr 25,16).

Außerdem wirst du dazu angehalten, dir jede Woche einen Ruhetag zu nehmen, um dich neu auf Gott auszurichten und um auszuruhen. Strategisch gesehen gewinnst du so Zeit, um Kraft zu tanken und dich neu zu orientieren. Außerdem gewinnst du eine zusätzliche Verschnaufpause – du setzt deinem Terminplan Grenzen. Solche Extrazeiten wirken wie Puffer zwischen dir und dem Druck, der auf dich einwirkt, und sie reduzieren die Spannungen zwischen dir und deinem Partner. Es gibt aber auch noch einen tieferen Grund, der dich zu einem gereizten Menschen werden lassen kann – *Selbstsucht.*

Selbstsucht. Wenn du gereizt bist, liegt das Problem meistens in dir. Jesus sagte: „Denn aus der Fülle des Herzens redet der Mund“ (Mt 12,34). Manche Menschen kann man mit Zitronen vergleichen: Wenn sie unter Druck stehen, kommt es zu einer sauren Reaktion. Manche Menschen ähneln eher Pfirsichen, denn selbst unter Druck reagieren sie immer noch „süß“.

Ist jemand schnell aufbrausend, deutet das darauf hin, dass bestimmte Bereiche von Selbstsucht oder Unsicherheit kontrolliert werden, anstatt von Liebe. Doch Selbstsucht trägt auch noch viele andere Masken.

Begierde beispielsweise ist eine Folge davon, dass du das, was du hast, nicht zu schätzen weißt und deshalb leidenschaftlich begehrst, was verboten ist. Wenn du in deinem Herzen ein Lustproblem hast, wirst du leicht frustriert und wütend (siehe Jak 4,1-3). *Bitterkeit* schlägt Wurzeln, wenn du urteilst und nicht bereit bist, dich mit deiner Wut auseinanderzusetzen. Ist man verbittert, zeigt sich der nicht verarbeitete Ärger in dem Moment, in dem man provoziert wird (siehe Eph 4,31). Die *Gier* nach mehr Geld und Besitz führt zu Enttäuschung, denn diese Wünsche werden nicht erfüllt (siehe 1 Tim 6,9-10). Die Kombination dieser starken Gelüste mit Unzufriedenheit führt dazu, dass du auf jeden losgehst, der dir im Weg steht. *Stolz* bewirkt, dass du dich stur verhältst, um dein Ego und deinen Ruf zu schützen.

Diese Wünsche können nie zufriedengestellt werden. Doch wenn Liebe in dein Herz einzieht, wird sie bewirken, dass du zur Ruhe kommst und aufhörst, dich auf dich selbst zu konzentrieren. Sie hilft dir, unnötige Dinge loszulassen.

Liebe bewirkt Folgendes: Du vergibst anstatt nachtragend zu sein; du bist dankbar statt gierig; du bist mit dem zufrieden, was du hast, anstatt dich in weitere Schulden zu stürzen. Liebe ermuntert dich, dich zu freuen, wenn jemand anders Erfolg hat, anstatt nachts vor Neid nicht schlafen zu können. Liebe sagt „teile das Erbe“, anstatt mit deinen Verwandten zu streiten. Sie erinnert dich daran, dass deine Familie Vorrang vor deiner Karriere hat. Bei jeder anstehenden Entscheidung mindert Liebe den Stress und hilft dir, die Gehässigkeit loszulassen, die sich in dir aufbauen kann. Liebe bereitet dein Herz darauf vor, mit Geduld und Zuspruch auf deinen Partner reagieren zu können, anstatt mit Wut und Ärger.

DIE HEUTIGE HERAUSFORDERUNG

ENTSCHEIDE DICH HEUTE, IN SCHWIERIGEN SITUATIONEN DEINEM PARTNER GEGENÜBER NICHT GEREIZT, SONDERN LIEBEVOLL ZU REAGIEREN. FERTIGE IN DEM DAFÜR VORGESEHENEN FELD EINE LISTE DER DINGE AN, DIE DU AUF DEINEM TERMINPLAN STREICHEN KANNST, UM MEHR ZEIT ZU GEWINNEN. DANN LISTE JEDE FALSCHE MOTIVATION AUF, DIE DU ABLEGEN MUSST.

__ Setze hier ein Häkchen, wenn du deine heutige Herausforderung bewältigt hast.

- Für welche Dinge solltest du dir mehr Zeit nehmen? Wann hast du kürzlich überreagiert? Was war deine Motivation für dieses Verhalten? Welche Entscheidungen hast du heute getroffen?

Darum übe ich mich auch, allezeit ein Gewissen ohne Anstoß zu haben vor Gott und den Menschen. (Apg 24,16)

Tag 7

Liebe glaubt an das Beste

[Liebe] glaubt alles, sie hofft alles. (1 Kor 13,7)

In den tiefen, sehr persönlichen Winkeln deines Herzens gibt es einen bestimmten Raum. Es ist der Raum der Wertschätzung. Dorthin gehen deine Gedanken, wenn du mit deinem Partner positive und ermutigende Dinge erlebst. Du genießt es, ab und zu diesen besonderen Ort zu besuchen.

An den Wänden stehen freundliche Worte und Sätze, sie beschreiben die guten Eigenschaften deines Partners. Möglicherweise gehören dazu Eigenschaften wie „ehrlich" und „intelligent" oder „fleißiger Mensch", „wunderbare Köchin" oder „wunderschöne Augen". Es handelt sich um die Dinge, die du an deinem Partner entdeckt hast, etwas, das sich in deinen Erinnerungen festgesetzt hat. Deine Wertschätzung für deinen Partner steigt, wenn du über diese Dinge nachdenkst. Genau genommen geschieht sogar Folgendes: Je mehr Zeit du dir nimmst, um über diese positiven Eigenschaften nachzudenken, desto dankbarer wirst du für deinen Partner.

Wahrscheinlich wurden die meisten Dinge im Raum der Wertschätzung während der Anfangsphase eurer Beziehung geschrieben. Fasst man diese Aussagen zusammen, geben sie das wieder, was du an diesem geliebten Menschen mochtest und respektiertest. Diese Aussagen waren wahrhaftig, ehrenvoll und gut. Und du verbrachtest viel Zeit in diesem Raum, um über sie nachzudenken ... bevor ihr geheiratet habt. Du hast vielleicht bemerkt, dass du diesen Raum nicht mehr so häufig aufsuchst wie früher. Der Grund ist folgender: Es gibt in unmittelbarer Nähe einen weiteren Raum, der mit diesem konkurriert.

Tief in einem dunklen Winkel deines Herzens befindet sich der Raum der Abwertung. Unglücklicherweise suchst du auch diesen Raum auf. An den Wänden dieses

Raumes sind jene Dinge geschrieben, die dich an deinem Partner stören und ärgern. Die Gründe hierfür sind: Frustration, verletzte Gefühle und Enttäuschung über nicht erfüllte Erwartungen.

Dieser Raum kennzeichnet die Schwächen und Fehler deines Partners. Die schlechten Gewohnheiten, die verletzenden Worte und unausgewogenen Entscheidungen wurden in Großbuchstaben überall auf den Wänden festgehalten. Wenn du dich lange genug in diesem Raum aufhältst, wirst du depressiv und fängst an, Dinge zu sagen wie: „Meine Frau ist so egoistisch" oder „Mein Mann ist so ein Idiot" – vielleicht sogar: „Ich glaube, ich habe den Falschen geheiratet."

Manche Menschen schreiben sehr hasserfüllte Dinge in diesen Raum. Hier werden vorwurfsvolle Argumente für den nächsten Streit geprobt. Emotionale Wunden entzünden sich und weitere bissige Bemerkungen werden an die Wände geschrieben. Es ist der Ort, an dem die Munition für den nächsten Kampf gelagert wird. Der Bitterkeit ist es erlaubt, sich wie eine Krankheit auszubreiten. Hier fühlen Menschen, dass sie nicht mehr verliebt sind.

Doch sei dir im Klaren darüber, dass Ehen zerstört werden, wenn Menschen ihre Zeit im Raum der Abwertung verbringen. In diesem Raum werden üble Pläne – auch Scheidungen – geschmiedet. Je mehr Zeit du in diesem Raum verbringst, desto weniger Wertschätzung wirst du deinem Partner entgegenbringen. Dieser Prozess beginnt bereits in dem Moment, in dem du diesen Raum betrittst und mit jeder weiteren Sekunde, die du hier verbringst, empfindest du für deinen Partner weniger Zuneigung.

Vielleicht sagst du: „Es ist aber wirklich so!" Ja, aber das trifft auch auf die Dinge im Raum der Wertschätzung zu. Jeder Mensch versagt und muss sich in bestimmten Bereichen verbessern. Jeder hat ungelöste Probleme, Verletzungen und trägt seine persönlichen Lasten. Das ist das Traurige an uns Menschen. Wir alle haben gesündigt. Doch unglücklicherweise neigen wir dazu, unsere negativen Eigenschaften herunterzuspielen und die Fehler unseres Partners unter die Lupe zu nehmen.

Lass uns zum wirklichen Problem kommen. Liebe weiß um den Raum der Abwertung, sie verleugnet nicht dessen Existenz.

Aber Liebe beschließt, nicht dort zu leben.

Du musst dich entscheiden, nicht länger zu diesem Raum zu laufen; aufzuhören, dich dort nach jeder frustrierenden Erfahrung in deiner Beziehung aufzuhalten. Es tut dir nicht gut und es nimmt deiner Ehe die Freude.

Liebe entscheidet sich, das Beste von einem Menschen zu denken. Sie entscheidet sich im Zweifelsfall zu seinen Gunsten. Sie weigert sich, das Unbekannte mit negativen Vermutungen auszufüllen. Und wenn deine schlimmsten Befürchtungen sich bewahrheiten sollten, unternimmt die Liebe alle Anstrengungen, sich um diesen Menschen zu kümmern und vorwärtszugehen. Liebe konzentriert sich so oft wie möglich auf das Positive.

Es ist an der Zeit umzudenken. Es ist Zeit, dass deine Gedanken und deine Blickrichtung von Liebe bestimmt sind. Der einzige Grund, weshalb du einen flüchtigen Blick in den Raum der Abwertung werfen solltest, ist folgender: damit du weißt, wie du für deinen Partner beten kannst. Und der einzige Grund, weshalb du diesen Raum jemals betreten solltest, besteht darin, dass du in großen Buchstaben auf die Wände schreibst: „VON LIEBE UMGEBEN."

Es ist Zeit, dass du in den Raum der Wertschätzung einziehst, dich dort niederlässt und diesen Raum zu deinem Heim machst. Wenn du dich entscheidest, an das Positive zu glauben, wirst du feststellen, dass du noch weitaus mehr wunderbare Charaktereigenschaften an die Wände schreiben kannst. Dein Partner ist ein lebendiges, atmendes, endloses Buch, das du lesen kannst. Vielleicht müssen Träume und Hoffnungen erst noch verwirklicht werden. Ähnlich einem verborgenen Schatz wirst du möglicherweise Talente und Fähigkeiten entdecken. Doch die Entscheidung, diese Dinge entdecken zu wollen, liegt bei dir.

Du musst dir angewöhnen, deine negativen Gedanken im Zaum zu halten und dich auf die positiven Eigenschaften deines Partners konzentrieren. Dies ist ein entscheidender Schritt, wenn du lernen willst, deinen Partner aufrichtig zu lieben. Es ist eine Entscheidung, die du unabhängig davon triffst, ob dein Partner es verdient oder nicht.

Die heutige Herausforderung

Besorge dir zwei Blätter Papier. Nun nimm dir ein paar Minuten Zeit, um auf das erste Blatt etwas Positives über deinen Partner zu schreiben. Schreibe anschliessend die negativen Dinge auf das zweite Blatt. Lege beide Seiten für einen weiteren Tag an einen geheimen Ort. Für jede Liste gibt es einen anderen Plan und beide haben einen unterschiedlichen Zweck. Picke dir im weiteren Verlauf dieses Tages eine positive Eigenschaft aus der ersten Liste heraus und danke deinem Partner für diese Eigenschaft.

__ Setze hier ein Häkchen, wenn du deine heutige Herausforderung bewältigt hast.

- Welche Liste war leichter zu erstellen? Was offenbart das über deine Gedanken? Für welche Eigenschaft hast du deinem Partner gedankt?

Wenn es irgendetwas gibt, das lobenswert ist – sinnt darüber nach.
(Phil 4,8 – entsprechend der NKJV, frei wiedergegeben)

Tag 8

Liebe ist nicht eifersüchtig

Denn stark wie der Tod ist die Liebe, hart wie der Scheol die Leidenschaft. Ihre Gluten sind Feuergluten. (Hld 8,6)

Eifersucht gehört zu den stärksten „Antrieben“ des Menschen. Dieser Begriff kommt von dem Wort *Eifer* und bedeutet „mit einem intensiven Feuer brennen“. In der Bibel heißt es: „Grausam ist der Grimm und überflutend der Zorn. Wer aber kann bestehen vor der Eifersucht?“ (Spr 27,4).

Genau genommen gibt es zwei Arten von Eifersucht: eine *legitime* Eifersucht, die auf Liebe gegründet ist, und eine *illegitime* Eifersucht, die auf Neid basiert. Berechtigte Eifersucht entzündet sich, wenn jemand, den du liebst – ein Mensch, der zu dir gehört –, sein Herz von dir abwendet und dich durch jemand anderen ersetzt. Wenn eine verheiratete Frau eine Affäre hat und sich einer anderen Person hingibt, ist der Zorn ihres Mannes gerechtfertigt, weil er sie liebt. Er sehnt sich danach, zurückzubekommen, was rechtmäßig sein ist.

In der Bibel wird Gott als jemand beschrieben, der diese Art von Eifersucht für sein Volk hegt. Nicht etwa, dass er neidisch *auf* uns ist, weil er wünscht, dass er hätte, was wir haben (ihm gehört sowieso bereits alles). Vielmehr *sehnt er sich* nach uns und er wünscht sich, dass wir ihn mehr als alles andere lieben. Er will nicht, dass wir in unserem Herzen irgendetwas über ihn stellen. Die Bibel warnt uns, nichts und niemanden außer ihn anzubeten, denn: „Der Herr, dein Gott, ist ein verzehrendes Feuer, ein eifersüchtiger Gott!“ (5 Mose 4,24).

Nachdem wir diese Grundlage gelegt haben, beschäftigen wir uns nun mit der unberechtigten Eifersucht. Diese Form der Eifersucht steht im Gegensatz zur Liebe und hat ihre Wurzeln in der Selbstsucht. Hierbei geht es darum, dass man auf jemanden neidisch ist und von Eifersucht getrieben wird.

Bist du auf andere eifersüchtig? Deine Freundin ist beliebter als du und du empfindest deshalb Hass für sie. Du kannst nicht schlafen, weil dein Kollege befördert worden ist. Er hat vielleicht gar nichts falsch gemacht, aber aufgrund seines Erfolgs bist du verbittert. Es heißt, dass andere so lange mit deinem Erfolg einverstanden sind, solange du nicht erfolgreicher bist als sie.

Eifersucht ist ein weitverbreitetes Problem. Sie wird entfacht, wenn jemand dir die Schau stiehlt und das bekommt, was du willst. Das kann – je nachdem wie selbstsüchtig du bist – sehr schmerzhaft sein. Anstatt diesen Menschen zu beglückwünschen, bist du wütend und denkst schlecht über ihn. Wenn du nicht aufpasst, schleicht sich Eifersucht, ähnlich einer Natter, in dein Herz ein und greift deine Motivation und deine Beziehungen an. Eifersucht kann dich so sehr vergiften, dass du nicht mehr in Liebe wandelst, so wie es Gottes Absicht ist.

Wenn du deine Wut nicht bewältigst, indem du lernst, andere zu lieben, wirst du sie letztendlich möglicherweise schikanieren. In der Bibel heißt es, dass Eifersucht zu Kämpfen, Streitereien und jeder schlechten Tat führt (siehe Jak 3,16 + 4,1-2).

In der Bibel findet man an verschiedenen Stellen Beispiele für heftige Eifersucht. Eifersucht war der Grund für den ersten Mord, als Kain nicht akzeptierte, dass Gott das Opfer seines Bruders angenommen hatte. Sarah sandte ihre Magd fort, weil sie Kinder gebären konnte, sie selbst aber nicht. Josefs Brüder sahen, dass er der Liebling ihres Vaters war. Sie warfen ihn in eine Grube und verkauften ihn als Sklaven. Jesus war liebevoller, mächtiger und beliebter als die führenden Priester. Aus diesem Grund waren sie eifersüchtig auf ihn und planten, ihn zu verraten und zu kreuzigen.

Normalerweise wirst du nicht eifersüchtig auf Fremde. Meist dreht es sich um Menschen, die du kennst. Sie arbeiten mit dir in einem Büro, sie sind im selben Verein, sie verkehren in den gleichen Kreisen ... oder sie leben in deinem Haus. Ja, wenn du nicht aufpasst, kann Eifersucht deine Ehe beeinträchtigen.

Als du geheiratet hast, bekamst du folgende Rolle: Du wurdest der eifrigste Cheerleader deines Partners und der Leiter seines Fanklubs. Ihr wurdet eins und jeder von euch konnte sich für den anderen freuen. Doch wenn Selbstsucht regiert und nur einem von euch beiden etwas Gutes widerfährt, kann Folgendes geschehen: anstatt deinen Partner zu beglückwünschen, wird dieser Anlass zum Katalysator für deine Eifersucht.

Vielleicht spielt er am Wochenende gerne Golf, während sie daheimbleibt und das Haus putzt. Wenn er ihr dann stolz erzählt, was für tolle Bälle er geschlagen hat, bekommt sie das Verlangen, *ihn* zu schlagen.

Oder vielleicht wird sie ständig eingeladen, mit Freunden auszugehen, während er und der Hund zu Hause zurückbleiben. Wenn er nicht aufpasst, wird er sich darüber ärgern, dass sie so beliebt ist.

Weil Liebe nicht selbstsüchtig ist und zuerst auf das Wohl anderer bedacht ist, weigert sie sich, Neid einen Raum zu geben. Sie bewegt dich dazu, die Erfolge deines Partners zu feiern. Einem liebevollen Ehemann macht es nichts aus, wenn seine Frau etwas besser kann oder sie mehr Spaß hat – oder wenn sie mehr Beifall bekommt. Er betrachtet sie nicht als seine Konkurrenz, sondern als einen Menschen, der ihn vervollständigt.

Wenn er gelobt wird, spricht er ihr in der Öffentlichkeit seinen Dank dafür aus, dass sie ihn unterstützt hat. Er vermeidet es, sich auf eine Weise zu rühmen, die sie ihm übel nehmen könnte. Eine liebevolle Frau wird die Erste sein, die ihrem Mann zujubelt, wenn er erfolgreich ist. Sie vergleicht ihre Schwächen nicht mit seinen Stärken. Sie wird sich nicht selbst bedauern, sondern sie wird seinen Erfolg feiern.

Es ist an der Zeit, dass durch Liebe, Demut und Dankbarkeit jeglicher Neid, der in deinem Herzen aufkommen will, zerstört wird. Es ist Zeit, dass die Erfolge deines Partners dazu führen, dass ihr enger zusammenfindet und diese Gelegenheiten nutzt, um aufrichtige Liebe zu zeigen.

Die heutige Herausforderung

Entscheide dich, zum grössten Fan deines Partners zu werden und keinen Gedanken der Eifersucht zuzulassen. Richte dein Herz auf deinen Partner und seine Erfolge – Folgendes wird dir hilfreich sein: Nimm die gestrige Liste mit den negativen Eigenschaften und verbrenne sie. Dann sage deinem Partner, wie sehr du dich für ihn über den kürzlich erlebten Erfolg freust.

__ Setze hier ein Häkchen, wenn du
deine heutige Herausforderung bewältigt hast.

- Wie schwer fiel es dir, die Liste zu vernichten? Nenne einige Eigenschaften deines Partners, über die du dich freuen kannst. Wie kannst du deinen Partner ermutigen, damit er auch in Zukunft Erfolg haben wird?

Freut euch mit den sich Freuenden, weint mit den Weinenden! (Röm 12,15)

Tag 9

Liebe wird offenbar

Grüßt einander mit dem Kuss der Liebe! (1 Petr 5,14)

Inzwischen hast du dich auf dieser Reise schon mit einigen ernsten Themen beschäftigt. Es ist nicht immer einfach, Eigenschaften von Liebe – wie Geduld, Freundlichkeit und Ermutigung – zu zeigen, aber es ist für eine gesunde Beziehung von entscheidender Bedeutung. Dagegen mag die Art und Weise, wie du deinen Partner tagtäglich begrüßt, belanglos erscheinen, doch dieses unscheinbare Thema ist von erstaunlicher Wichtigkeit.

Die Begrüßung sagt viel über eine Beziehung aus. Du siehst es sowohl am Gesichtsausdruck der Ehepartner als auch daran, wie sie miteinander reden. Es wird sogar noch deutlicher anhand ihres Körperkontakts. Doch welchen Stellenwert sollte eine Begrüßung für dich haben?

Die Bibel sagt mehr über Begrüßungen, als du vielleicht erwartet hast. Der Apostel Paulus nahm sich Zeit, seine Leser zu ermutigen, sich herzlich zu begrüßen. Am Ende des Römerbriefs bittet er Glaubensgenossen sogar darum, 27 seiner Freunde und ihm nahestehende Personen zu grüßen. Er nahm sich sogar die Zeit, jeden Einzelnen namentlich zu erwähnen.

Es geht jedoch nicht nur um deine Freunde. In seiner Bergpredigt erwähnte Jesus, dass sogar die Heiden freundlich mit den Menschen reden, die sie kennen. Das fällt jedem leicht. Doch er ging noch einen Schritt weiter. Er sagte, dass so viel Demut und Güte zu einem gottgefälligen Leben gehören, dass man selbst seinen Feinden freundlich begegnet.

Das wirft eine interessante Frage auf. Wie begrüßt du deine Freunde, Kollegen und Nachbarn? Wie verhältst du dich gegenüber deinen Bekannten und den Menschen, denen du in der Öffentlichkeit begegnest?

Vielleicht triffst du jemanden, den du nicht besonders magst, aber aus Höflichkeit verhältst du dich auch ihm gegenüber freundlich. Verdient dein Partner nicht die gleiche Behandlung, wenn du schon zu Menschen, die dir nicht besonders nahe stehen, so freundlich bist? Solltest du ihn nicht sogar zehnmal so freundlich behandeln?

Wahrscheinlich hast du noch nicht häufig darüber nachgedacht. Aber was ist das Erste, was du deinem Partner sagst, wenn du morgens aufwachst? Was hast du für einen Gesichtsausdruck, wenn du ins Auto steigst? Was hast du für einen Ausdruck in der Stimme, wenn ihr miteinander telefoniert? Doch hier ist noch ein weiterer Punkt, den du wahrscheinlich noch nicht beachtet hast: Welchen Unterschied würde es tagtäglich für deinen Partner machen, wenn alles an dir ihm zu verstehen gäbe, dass du wirklich sehr froh bist, ihn zu sehen?

Wenn jemand dir zeigt, dass er froh ist, dich zu sehen, hebt das dein Selbstwertgefühl. Du fühlst dich bedeutender und empfindest mehr Wertschätzung. Dafür gibt es folgenden Grund: Eine gute Begrüßung schafft den Rahmen für eine positive, vernünftige Kommunikation. Ebenso wie Liebe, wirkt sie wie Wind für deine Segel.

Denke zurück an die Geschichte, die Jesus über den verlorenen Sohn erzählte. Dieser junge, rebellische Mann forderte sein Erbe ein und dann verschwendete er das Geld durch seinen törichten Lebensstil. Schon sehr bald bekam er die Folgen seiner Fehlentscheidungen zu spüren – er fand sich in einem Schweinepferch wieder und ernährte sich von Speiseresten. Gedemütigt und beschämt suchte er nach Entschuldigungen und überlegte sich, wie er es wohl am besten anstellen konnte, nach Hause zurückzukehren und seinem Vater gegenüberzutreten. Doch die Begrüßung fiel anders aus, als er erwartet hatte. „Als er aber noch fern war, sah ihn sein Vater und wurde innerlich bewegt und lief hin und fiel ihm um seinen Hals und küsste ihn" (Lk 15,20).

Von all den Szenarien, die dieser junge Mann in Gedanken durchgespielt hatte, hatte er das wahrscheinlich am allerwenigsten erwartet. Doch was meinst du, wie er sich fühlte, als der Vater ihn umarmte und so warmherzig mit ihm sprach? Zweifellos fühlte er sich geschätzt und geliebt. Was meinst du, wie sich dieses Verhalten auf ihre Beziehung auswirkte? Welche Form der Begrüßung würde bei deinem Partner dasselbe bewirken? Inwiefern könntest du durch ein schlichtes Wort, eine Berührung oder durch den Ausdruck in deiner Stimme die unterschiedlichen Sinne deines Partners anregen? Eine liebevolle Begrüßung kann durch das, was dein Partner dabei sieht, hört und fühlt zum Segen werden.

Denke über die verschiedenen Möglichkeiten euch zu begrüßen nach. Wenn du zur Tür hereinkommst, wenn ihr zusammen Mittag esst, wenn ihr einander Gute Nacht sagt oder wenn ihr miteinander telefoniert.

Die Begrüßungen müssen nicht jedes Mal überschwänglich und dramatisch ausfallen. Aber durch eine gewisse Wärme und mit etwas Enthusiasmus hast du die Möglichkeit, das Herz deines Partners zu berühren.

Denk darüber nach, wie du deinen Partner empfängst. Nutzt du diese Möglichkeit? Spürt dein Partner Wertschätzung? Fühlt er sich geliebt? Selbst dann, wenn ihr gerade nicht so gut miteinander zurechtkommt, kannst du durch die Art und Weise, wie du deinen Partner begrüßt, Spannungen mindern und Wertschätzung ausdrücken.

Bedenke, dass Liebe eine Entscheidung ist. Deshalb triff die Entscheidung, dein Begrüßungsverhalten zu verändern. Entscheide dich zu lieben.

Die heutige Herausforderung

Denk darüber nach, wie du deinen Partner heute gern begrüssen würdest. Tu es mit einem Lächeln im Gesicht und mit Enthusiasmus. Dann entscheide dich, dein Begrüssungsverhalten so zu verändern, dass dadurch deine Liebe zum Ausdruck gebracht wird.

__ Setze hier ein Häkchen, wenn du deine heutige Herausforderung bewältigt hast.

- Wann und wo hast du dich für diese spezielle Begrüßung entschieden?
- Inwiefern wirst du von jetzt an dein Begrüßungsverhalten verändern?

Denn ich hatte viel Freude und Trost wegen deiner Liebe. (Phlm 7)

Tag 10

Liebe stellt keine Bedingungen

Gott aber erweist seine Liebe zu uns darin, dass Christus, als wir noch Sünder waren, für uns gestorben ist. (Röm 5,8)

Wenn dich jemand fragen würde: „Warum liebst du deinen Partner?“ – was würdest du antworten?

Die meisten Männer würden über die Schönheit ihrer Frau, ihren Sinn für Humor, ihre Freundlichkeit und ihre innere Kraft sprechen. Vielleicht würden sie auch ihre Kochkünste oder ihr Geschick, Dinge schön herzurichten, erwähnen oder darüber sprechen, was für eine gute Mutter sie ist.

Frauen würden wahrscheinlich das gute Aussehen oder die Persönlichkeit ihres Mannes nennen. Sie würden seinen festen und beständigen Charakter loben. Sie würden sagen, dass sie ihn lieben, weil er immer für sie da ist. Außerdem würden sie erwähnen, dass er großzügig und hilfsbereit ist.

Was aber, wenn diese Eigenschaften im Laufe der Jahre nicht mehr auf deinen Partner zutreffen? Würdest du ihn immer noch lieben? Wenn man von den eben genannten Antworten ausgeht, lautet die logische Antwort „nein“. Wenn die Gründe dafür, dass du deinen Partner liebst, allesamt etwas mit seinen Qualitäten zu tun haben – und diese Qualitäten dann nach und nach oder plötzlich nicht mehr vorhanden sind – gibt es für deine Liebe keine Grundlage mehr.

Liebe kann nur dann ein Leben lang halten, wenn sie bedingungslos ist. Die Wahrheit ist: nicht derjenige, der *geliebt wird*, entscheidet über die Liebe, sondern der, der *beschließt zu lieben.*

Wenn in der Bibel von dieser Art der Liebe die Rede ist, wurde das griechische Wort *agape* verwendet.

Diese Liebe unterscheidet sich von zwei weiteren Arten der Liebe – nämlich *phileo* (Freundschaft) und *eros* (sexuelle Liebe). Natürlich spielen sowohl Freundschaft als auch Sex in deiner Ehe eine wichtige Rolle. Bildlich gesprochen sind sie ein Teil des Hauses, das ihr als Ehepaar gebaut habt. Wenn deine Ehe allerdings ausschließlich von gemeinsamen Interessen oder einem gesunden Sexualleben abhängig ist, hat eure Beziehung kein solides Fundament.

Phileo und *eros* sind ihrem Wesen nach eher erwidernd. Sie können durch die jeweilige Gefühlslage Schwankungen unterworfen sein. Dagegen ist *Agape*-Liebe selbstlos und bedingungslos. Wenn sie nicht die Grundlage für eure Ehe bildet, wird der Zahn der Zeit euer Haus abnützen und zerstören. *Agape*-Liebe ist beständig – in Gesundheit und Krankheit, in Armut und Reichtum – was auch immer geschieht. Nur diese Art von Liebe ist wahre Liebe.

Und zwar deshalb, weil es Gottes Art von Liebe ist. Er liebt uns nicht, weil wir liebenswert sind, sondern weil er so sehr liebt. In der Bibel heißt es: „Hierin ist die Liebe. Nicht dass wir Gott geliebt haben, sondern dass er uns geliebt und seinen Sohn gesandt hat als eine Sühnung für unsere Sünden" (1 Joh 4,10). Wenn er darauf bestünde, dass wir beweisen, dass wir seine Liebe verdienen, würden wir jämmerlich versagen. Aber Gottes Liebe beruht auf einer Entscheidung, die er ganz allein trifft. Wir empfangen diese Liebe von ihm und geben sie dann an andere weiter. „Wir lieben, weil er uns zuerst geliebt hat" (1 Joh 4,19).

Wenn ein Mann zu seiner Frau sagt: „Ich liebe dich nicht mehr", sagt er in Wirklichkeit: „Ich habe dich noch nie bedingungslos geliebt." Seine Liebe war abhängig von Gefühlen oder Umständen, aber sie war nicht auf Hingabe gegründet. Das geschieht, wenn man eine Ehe auf der Grundlage von *phileo* oder *eros* aufbaut. Es bedarf eines stärkeren Fundaments, als nur Freundschaft oder sexuelle Anziehung. Bedingungslose Liebe, *Agape*-Liebe, wird weder durch den „Zahn der Zeit" noch durch Umstände ins Wanken geraten.

Das soll nicht heißen, dass eine Beziehung, die aus den falschen Gründen begonnen wurde, nicht wiederhergestellt werden könnte. Wenn du deine Ehe auf der Grundlage von *agape* umbaust, werden Freundschaft und die romantischen Aspekte eurer Liebe sogar stärker sein, als jemals zuvor. Wenn die Freude, beste Freunde und Liebende zu sein, darüber hinaus auf unerschütterlicher Hingabe basiert, werdet ihr ein Maß von Vertrautheit erleben, das auf anderem Wege nicht zu erreichen ist.

Allerdings wirst du trotz aller eigenen Bemühungen diesen Standard für eine Ehe nicht erreichen können, es sei denn, du gibst Gott die Möglichkeit, seine Liebe in dir wachsen zu lassen. Liebe, die alles erträgt, alles glaubt, alles hofft und alles erduldet (siehe 1 Kor 13,7), kommt nicht aus dir selbst. Diese Liebe kommt ausschließlich von Gott.

Es heißt in der Bibel, „dass weder Tod noch Leben, weder Engel noch Gewalten, weder Gegenwärtiges noch Zukünftiges, noch Mächte, weder Höhe noch Tiefe, noch irgendein anderes Geschöpf uns wird scheiden können von der Liebe Gottes, die in Christus Jesus ist, unserem Herrn" (Röm 8,38-39). Das ist Gottes Art von Liebe. Und glücklicherweise kann diese Liebe durch deine Entscheidung auch *deine* Art von Liebe werden. Doch zuerst musst du diese Liebe empfangen und dann weitergeben.

Und sei nicht überrascht, wenn dein Partner unter dem Einfluss dieser Liebe zuversichtlich wird, und wundere dich auch nicht, wenn dein Partner dir liebenswerter erscheint, als jemals zuvor. Du wirst nicht länger sagen: „Ich liebe dich, weil … " Jetzt sagst du: „Ich liebe dich, Punkt!"

Die heutige Herausforderung

Tu heute etwas Ungewöhnliches für deinen Partner – etwas, das beweist, dass deine Liebe sich ausschliesslich darauf gründet, dass du dich entschieden hast, zu lieben.
Wasche ihr Auto. Putz die Küche. Kaufe seinen Lieblingsnachtisch. Leg die Wäsche zusammen. Zeige deinem Partner, dass du dich freust, dass er dein Partner ist.

__ Setze hier ein Häkchen, wenn du deine heutige Herausforderung bewältigt hast.

- Was war in der Vergangenheit das Fundament für deine Liebe? Die Eigenschaften deines Partners und sein Verhalten oder deine Haltung der Hingabe? Wie kannst du in Zukunft deine Liebe auch dann zeigen, wenn du nicht zurückbekommst, was du erhofft hast?

Wer aber auf den Herrn *vertraut, den umgibt er mit Gnade.* (Ps 32,10)

TAG 11

Liebe hegt und pflegt

So sind auch die Männer schuldig, ihre Frauen zu lieben wie ihre eigenen Leiber. (Eph 5,28)

Denke einmal über diese beiden Szenarien nach:

Als ein Mann an seinem alten Auto gravierende Probleme feststellt, bringt er es zu einem Automechaniker. Nachdem das Auto überprüft wurde, wird ihm mitgeteilt, dass es komplett überholt werden müsse. Seine Mittel sind begrenzt, sodass diese Reparatur eine große finanzielle Belastung bedeuten würde. Wegen der hohen Reparaturkosten beschließt er, sich von dem Auto zu trennen und stattdessen sein Geld in ein neues Auto zu investieren. Scheint einleuchtend – oder?

Ein anderer Mann – ein Ingenieur – zerquetscht sich seine Hand in einer Maschine. Er rast zum Krankenhaus. Nachdem seine Hand geröntgt wurde, erfährt er, dass mehrere Knochen gebrochen sind. Obwohl er Schmerzen hat und enttäuscht ist, setzt er bereitwillig sein Erspartes ein. Er bezahlt die Kosten für die medizinische Versorgung und den Gipsverband. In den darauffolgenden Monaten kuriert er seine Verletzung so lange aus, bis er wieder vollkommen gesund ist. Dieses Vorgehen erscheint dir ebenfalls einleuchtend.

Das Problem in unserer Kultur besteht darin, dass mit Ehen häufig wie im ersten Beispiel umgegangen wird. Wenn es in deiner Beziehung Schwierigkeiten gibt, wirst du gedrängt, deinen Partner für ein „neues Modell" aufzugeben. Doch denen, die diese Auffassung vertreten, ist nicht klar, wie bedeutend eine Ehe ist. Die Wahrheit ist, dass eine Ehe eher mit dem zweiten Beispiel vergleichbar ist. In einer Ehe ist jeder ein Teil des anderen. Wenn du dich an der Hand verletzt, würdest du sie auf gar keinen Fall abtrennen, sondern so viel bezahlen, wie du könntest, um die beste medizinische Versorgung zu bekommen. Du würdest das tun, weil deine Hand für dich unschätzbar wichtig ist. Sie ist ein Teil von dir.

Das Gleiche gilt für deinen Partner. Die Ehe ist ein wunderbares, von Gott geschaffenes Geheimnis – zwei Leben verbinden sich und werden eins. Das geschieht nicht nur auf körperlicher, sondern auch auf geistlicher und emotionaler Ebene. Ihr teilt dasselbe Haus, dasselbe Bett und denselben Nachnamen. Eure Identitäten als Einzelpersonen wurden zu einer gemeinsamen Identität zusammengefügt. Wenn dein Partner etwas Schlimmes durchmacht, fühlt ihr es beide. Wenn du beruflichen Erfolg hast, freut ihr euch beide. Doch irgendwann wirst du vom anderen enttäuscht und kommst zu der ernüchternden Erkenntnis, dass du einen unvollkommenen Menschen geheiratet hast.

Das ändert jedoch nichts an der Tatsache, dass dein Partner immer noch ein Teil von dir ist. In Eph 5,28-29 heißt es: „So sind auch die Männer schuldig, ihre Frauen zu lieben wie ihre eigenen Leiber. Wer seine Frau liebt, liebt sich selbst. Denn niemand hat jemals sein eigenes Fleisch gehasst, sondern er nährt und pflegt es."

Dieser Vers ist an Männer gerichtet, doch beachte die Sichtweise für beide Ehepartner. Beide werden als „dasselbe Fleisch" angesehen. Du sollst deinen Partner genauso pfleglich und fürsorglich behandeln, wie dich selbst. Wenn du deinen Partner liebst, liebst du dich auch selbst.

Es gibt allerdings auch hier eine Kehrseite. Wenn du deinen Partner schlecht behandelst, behandelst du dich selbst ebenfalls schlecht. Denk einmal darüber nach. Ihr seid jetzt miteinander verwoben. Dein Partner kann jetzt nicht mehr Freude oder Schmerz, Segen oder Fluch erleben, ohne dass es dich beeinflusst. Wenn du also deinen Partner angreifst, greifst du dich selbst an.

Es ist Zeit, dass du zulässt, dass Liebe dein Denken verändert. Es ist Zeit, dass du erkennst, dass dein Partner ebenso ein Teil von dir ist wie deine Hand, dein Auge oder dein Herz. Deine Frau braucht ebenfalls Liebe und Wertschätzung. Und wenn ihre persönlichen Probleme immer wieder Kummer und Enttäuschung verursachen, solltest du dich darum genauso liebevoll und zärtlich kümmern, wie um eine körperliche Verletzung. Wenn er auf irgendeine Weise verletzt ist, solltest du dich als das Instrument ansehen, das Heilung in sein Leben bringt.

Denke angesichts dieser Überlegungen einmal darüber nach, wie du den Körper deines Partners behandelst. Hegst und pflegst du ihn wie deinen eigenen? Behandelst du ihn zärtlich und mit Respekt? Hast du Freude an deinem Partner – so wie er ist? Oder fühlt er sich durch dein Verhalten töricht und beschämt? Ebenso wie du deine Augen, Hände und Füße wertschätzt, solltest du auch deinen Partner als eine unbezahlbare Gabe wertschätzen.

Lass den Wert deiner Ehe nicht vom Zeitgeist bestimmen, der dich umgibt. Die Ehe mit etwas zu vergleichen, das man ausrangieren oder ersetzen kann, bedeutet, dass man Gottes Absichten für die Ehe entehrt. Das wäre das Gleiche, wie wenn man ein Körperglied entfernen würde. Stattdessen sollte die Ehe die Liebe zwischen zwei unvollkommenen Menschen widerspiegeln, die beschlossen haben, einander dennoch zu lieben.

Jedes Mal, wenn ein Mann seiner Frau in die Augen schaut, sollte er sich an Folgendes erinnern: „Wer seine Frau liebt, liebt sich selbst" (Eph 4,28). Und eine Frau sollte daran denken, dass sie auch sich selbst Liebe und Ehre zuteilwerden lässt, wenn sie ihren Mann liebt.

Wenn du deinen Partner ansiehst, siehst du einen Teil von *dir*. Also behandle deine Frau gut. Sprich gut über deinen Mann. Hege und pflege die Liebe deines Lebens.

Die heutige Herausforderung

Welches Bedürfnis deines Partners kannst du heute erfüllen? Gibt es etwas zu erledigen? Braucht dein Partner eine Rücken- oder Fussmassage? Kannst du bei irgendeiner Hausarbeit behilflich sein? Entscheide dich für eine Geste, die aussagt: „Ich schätze dich" – und was auch immer du tust, tu es mit einem Lächeln.

__ Setze hier ein Häkchen, wenn du deine heutige Herausforderung bewältigt hast.

- Wodurch hast du deiner Frau Wertschätzung gezeigt?
- Was hast du aus dieser Erfahrung gelernt?

Und Jesus antwortete ihm und sprach: Was willst du, dass ich dir tun soll? (Mk 10,51)

Tag 12

Liebe lässt den anderen gewinnen

Ein jeder sehe nicht auf das Seine, sondern ein jeder auch auf das der anderen!
(Phil 2,4)

Wenn du nach drei Themen gefragt wirst, in denen du und dein Partner nicht einer Meinung sind, könntest du wahrscheinlich antworten, ohne groß darüber nachdenken zu müssen. Vielleicht könntest du sogar eine Top-Ten-Liste erstellen, wenn man dir ein paar Minuten Zeit gibt. Leider führen diese Themen immer wieder zu Konflikten zwischen dir und deinem Partner, es sei denn, einer von euch beiden gibt nach.

Unglücklicherweise gehört Unnachgiebigkeit zu den Standardeigenschaften eines verheirateten Mannes und einer verheirateten Frau. Es ist ein grundlegender Teil deines Wesens, deine Rechte und Ansichten zu verteidigen. In einer Ehe wirkt sich diese Eigenschaft allerdings nachteilig aus. Sie raubt Zeit und Produktivität. Unnachgiebigkeit kann bei beiden Ehepartnern heftige Enttäuschung verursachen.

Zugegeben, Unnachgiebigkeit ist nicht immer schlecht. Es gibt Dinge, die es wert sind, dass man sich für sie einsetzt, um sie zu beschützen. Es ist wichtig, dass wir für unsere Prioritäten, unsere Werte und unseren Gehorsam Gott gegenüber eintreten. Doch viel zu oft streiten wir uns über unwichtige Dinge wie, in welcher Farbe die Wand gestrichen werden soll oder in welches Restaurant wir gehen sollten.

Natürlich geht es häufig auch um wesentlich gravierendere Dinge. Einer von euch möchte weitere Kinder, der andere nicht. Einer möchte noch weitere Familienmitglieder mit in den Urlaub nehmen, der andere nicht. Einer von euch möchte, dass die Kinder Privatunterricht bekommen, der andere nicht. Einer von euch ist der Meinung, dass es Zeit ist, sich in eine Eheberatung zu begeben oder sich in der Gemeinde mehr zu engagieren, der andere nicht.

Obwohl diese Probleme nicht tagtäglich auftauchen, kommen sie doch immer wieder zum Vorschein und sind nie wirklich ausgeräumt. Es hat den Anschein, als würdet ihr einer Lösung oder einem Kompromiss nicht näherkommen. Ihr schaltet nur weiterhin auf stur. Es ist, als würde man mit angezogener Handbremse fahren.

Es gibt nur eine Möglichkeit, aus Sackgassen wie diesen auszubrechen – und zwar, indem man ein Wort findet, das das Gegenteil von *Unnachgiebigkeit* ist. Es handelt sich um ein Wort, das bereits erwähnt wurde, als wir über „Freundlichkeit" sprachen. Es ist das Wort „Bereitwilligkeit". Es handelt sich um eine kooperative Haltung, von der unsere Gespräche geprägt sein sollten. Diese Haltung ist vergleichbar mit einer Palme am Ozean, die den stärksten Stürmen standhält, weil sie sich widerstandslos biegen lässt. Das beste Beispiel ist Jesus Christus selbst, so wie er in Philipper, Kapitel 2 beschrieben wird. Folge dem Beispiel seiner selbstlosen Liebe ...

Da er Gott war, hatte er jedes Recht sich zu weigern, Mensch zu werden. Doch er gab sich hin und wurde Mensch – weil er willens war. Er hatte das Recht, dass die ganze Menschheit ihm diente, doch stattdessen kam er, um zu dienen. Er hatte das Recht, in Frieden und Sicherheit zu leben, doch er gab bereitwillig sein Leben für unsere Sünden. Er war sogar bereit, die furchtbaren Qualen des Kreuztodes zu ertragen. Er liebte, er kooperierte und er war bereit, nicht seinen Willen, sondern den Willen des Vaters zu tun.

Angesichts dieses erstaunlichen Zeugnisses finden wir in der Bibel die an uns gerichtete Aussage: „Habt diese Gesinnung in euch, die auch in Christus Jesus war" (Phil 2,5) – die Gesinnung der Bereitwilligkeit, der Duldsamkeit und der demütigen Unterordnung. Das bedeutet, dass du deine eigenen Rechte zum Wohle anderer aufgibst.

Um euren gegenwärtigen Auseinandersetzungen weiterhin Nährboden zu geben, müsst ihr lediglich unnachgiebig und unbeugsam bleiben. Doch sobald einer von euch beiden sagt: „Ich richte mich in diesem Punkt nach dir", ist der Streit vorbei. Auch wenn dich diese Reaktion etwas Stolz kostet und dir Unbehagen bereitet, hast du aus Liebe etwas in eure Ehe investiert.

„Ja, schon, aber dann stehe ich töricht da. Dann verliere ich ja den Kampf. Und die Kontrolle." Aber du stehst schon jetzt töricht da – durch dein dickköpfiges Verhalten und weil du dich geweigert hast zuzuhören. Du hast diesen Kampf schon verloren, weil du dieses Problem über deine Ehe und das Wohlergehen deines Partners gestellt hast. Vielleicht hast du auch schon die Beherrschung verloren und Dinge gesagt, die deinen Partner verletzt haben.

Das Klügste und Liebevollste, was du tun kannst, ist, dass du hinsichtlich eurer Unstimmigkeiten eine Bereitschaft entwickelst, nicht grundsätzlich auf deiner Sichtweise zu bestehen. Das heißt nicht, dass dein Partner eine bestimmte Angelegenheit richtig einschätzt oder recht hat, aber du gehst auf seine Vorstellungen ein, um ihm deine Wertschätzung zu zeigen.

Den besten Rat der Liebe finden wir in der Bibel: „Die Weisheit von oben aber ist erstens rein, sodann friedvoll, milde, folgsam ..." (Jak 3,17). Anstatt deinen Partner wie deinen Feind oder wie jemanden, vor dem du auf der Hut sein musst zu behandeln, fange an, ihn wie deinen engsten und wichtigsten Freund zu behandeln. Achte auf das, was dein Partner sagt.

Nun, ihr werdet nicht immer einer Meinung sein. Ihr sollt ja auch nicht die Kopie des anderen sein. Wenn das eurer Bestimmung entspräche, wäre einer von euch überflüssig. Eine Beziehung zwischen zwei Menschen wäre unausgewogen, wenn beide immer die gleiche Meinung vertreten. Sie würden sich nicht gegenseitig bereichern. Eure Unterschiedlichkeit hat den Zweck, dass ihr euch gegenseitig zuhört und voneinander lernt.

Bist du bereit dich zu beugen, um deinem Partner auf diese Weise deine Liebe zu zeigen? Oder steht dein Stolz dir im Weg? Da Stolz dich auf lange Sicht nicht weiterbringen wird – vor allem nicht in der Ewigkeit – gib deine eigenen Rechte auf und entscheide dich, den Menschen zu ehren, den du liebst. Das wird sowohl dir als auch deiner Ehe guttun.

Die heutige Herausforderung

Zeige dadurch deine Liebe, dass du bereitwillig in einem Punkt nachgibst, in dem ihr Unstimmigkeiten habt. Sage deinem Partner, dass seine Sichtweise für dich Vorrang hat.

__ Setze hier ein Häkchen, wenn du
deine heutige Herausforderung bewältigt hast.

- Für welches Thema hast du dich entschieden? Wie schwer ist es dir gefallen nachzugeben? Wie kann dir diese Erfahrung in der Zukunft helfen?

Wenn möglich, soviel an euch ist, lebt mit allen Menschen in Frieden! (Röm 12,18)

Tag 13

Liebe kämpft fair

Und wenn ein Haus mit sich selbst entzweit ist, wird dieses Haus nicht bestehen können. (Mk 3,25)

Ob es dir nun gefällt oder nicht – es ist unvermeidlich, dass in einer Ehe Konflikte aufkommen. Bei eurer Eheschließung verbanden sich nicht nur eure Hoffnungen und Träume, sondern auch eure Verletzungen, Ängste, Fehler und euer seelisches Gepäck. Unmittelbar nach den Flitterwochen beginnt folgender Prozess: ihr erkennt, wie sündig und selbstsüchtig ihr sein könnt.

Schon sehr bald beginnt das perfekte Bild, das ihr voneinander habt, zu bröckeln. Durch die Nähe, die man in einer Ehe zwangsläufig erlebt, fiel deine Maske, die du in der Öffentlichkeit trugst, und deine Probleme und verborgenen Gewohnheiten wurden offenbar. Willkommen in der gefallenen Menschheit.

Gleichzeitig begannen die Stürme des Lebens – du wurdest getestet und es wurde offenbar, aus welchem Holz du geschnitzt bist. Berufliche Beanspruchung, gesundheitliche Probleme, Auseinandersetzungen mit Verwandten und finanzielle Schwierigkeiten flammten ebenfalls auf, sodass der Druck auf eure Beziehung sich noch erhöhte. Diese Dinge sind der Nährboden für Unstimmigkeiten. Ihr streitet. Ihr seid verletzt. Ihr erlebt Konflikte. Doch ihr seid nicht allein.

Jedes Ehepaar erlebt diese Dinge. Das war zu erwarten. Doch nicht jede Ehe „überlebt“ sie.

Denke also nicht, dass die heutige Herausforderung eure Ehe von sämtlichen Konflikten befreien wird. Es geht vielmehr darum, aus diesen Konflikten gestärkt hervorzugehen.

Das gilt natürlich für euch beide.

Das Schlimmste, was du deinem Partner antust und das Schlimmste, das du jemals zu ihm sagst, geschieht wahrscheinlich in der Hitze des Gefechts. Das ist deshalb so, weil dein Stolz in solchen Situationen die Oberhand hat. Du bist in Rage. Du bist egoistischer und ablehnender als sonst und deine Worte sind gehässiger. In solchen Situationen triffst du die schlechtesten Entscheidungen. Eine Ehe, die am Montag noch fabelhaft ist, kann sich schon am Dienstag auf einen Abgrund zubewegen, wenn ein Streit ausartet und keiner von euch beiden auf die Bremse tritt.

Doch Liebe greift ein und verändert Situationen. Liebe erinnert dich daran, dass deine Ehe so wertvoll ist, dass du sie nicht aufs Spiel setzen darfst und dass die Liebe für deinen Partner wichtiger ist als all das, worüber ihr streitet. Liebe hilft dir, in deine Ehe Sicherheitsvorkehrungen und Leitlinien einzubauen. Sie erinnert dich daran, dass Konflikte sogar so gewandelt werden können, dass etwas Gutes dabei herauskommt. Ehepartner, die mit ihren Konflikten richtig umgehen, sind sich anschließend näher – sie vertrauen einander mehr und erfreuen sich einer innigeren und tieferen Beziehung.

Aber was ist das Geheimnis? Es ist das Klügste, wenn man lernt, seine Konflikte nach verbindlichen und hilfreichen Regeln fair auszutragen. Wenn ihr keine Richtlinien habt, wie ihr mit den heißen Eisen umgehen solltet, werdet ihr in der Hitze des Konflikts die Grenzen überschreiten.

Im Grunde genommen gibt es zwei Arten von Grenzen, wenn es darum geht, sich in Konfliktsituationen richtig zu verhalten: „Wir-Grenzen“ und „Ich-Grenzen“.

„*Wir-Grenzen*“ folgen Regeln, denen ihr beide vorab zugestimmt habt – Regeln, die während eines Streits oder während einer Auseinandersetzung zur Anwendung kommen. Wenn diese Regeln verletzt werden, hat jeder von euch das Recht, sie sofort durchzusetzen – selbstverständlich muss das in der richtigen Haltung geschehen. Diese Regeln könnten Folgendes beinhalten:

1. Wir werden das Wort „Scheidung“ nie erwähnen.
2. Wir werden nicht auf alten Problemen herumreiten, die mit der aktuellen Situation nichts zu tun haben.
3. Wir werden uns nie in der Öffentlichkeit oder vor den Kindern streiten.
4. Wir werden eine „Unterbrechung“ ausrufen, wenn der Streit ein „zerstörerisches“ Niveau erreicht.
5. Wir werden uns nie körperlich angreifen.
6. Wir werden uns nicht schlafen legen, solange wir noch über den anderen verärgert sind.
7. Scheitern ist keine Alternative. Ganz gleich, was nötig ist, wir werden dieses Problem lösen.

„*Ich-Grenzen*“ sind Regeln, in denen du dich übst. Hier einige der wirksamsten Beispiele:

1. Ich werde zuerst zuhören, bevor ich rede. „Jeder Mensch sei schnell zum Hören, langsam zum Reden, langsam zum Zorn!“ (Jak 1,19).
2. Ich werde mich vorab um meine Probleme kümmern. „Was aber siehst du den Splitter, der in deines Bruders Auge ist, den Balken aber in deinem Auge nimmst du nicht wahr?“ (Mt 7,3).
3. Ich werde sanft reden und nicht laut werden. „Eine sanfte Antwort wendet Grimm ab, aber ein kränkendes Wort erregt Zorn“ (Spr 15,1).

Fair kämpfen bedeutet, dass du die Waffen wechselst. Wenn du nicht übereinstimmst, dann mit Würde. Das Resultat sollte sein, dass du Brücken baust und keine Brücken abbrichst. Bedenke, Liebe ist kein Kampf – aber sie ist es wert, für sie zu kämpfen.

Die heutige Herausforderung

Sprich mit deinem Partner darüber, verbindliche und hilfreiche Regeln einzuführen. Falls dein Partner dazu noch nicht bereit ist, schreib deine eigenen Regeln auf und wende sie für dich persönlich an. Beschliesse, dich an diese Regeln zu halten, wenn es zur nächsten Unstimmigkeit kommt.

__ Setze hier ein Häkchen, wenn du
deine heutige Herausforderung bewältigt hast.

- Falls dein Partner sich darauf eingelassen hat – wie hat er reagiert?
- Welche Regeln hast du für dich persönlich festgelegt?

Seid gleichgesinnt gegeneinander. (Röm 12,16)

Tag 14

Liebe erfreut sich

Genieße das Leben mit der Frau, die du liebst, alle Tage deines nichtigen Lebens.
(Pred 9,9)

Zu den wichtigsten Dingen, die du während dieser Reise lernen solltest, gehört Folgendes: Du solltest nicht einfach nur deinem Herzen *folgen*, sondern du solltest es *lenken*. Du überlässt deinen Gefühlen nicht den Fahrersitz deines Lebens. Du beförderst sie auf den Rücksitz und sagst ihnen, wohin die Reise geht.

In deiner Ehe wirst du nicht ständig das Gefühl haben, dass du verliebt bist. Es ist unrealistisch, dass du bei jedem Gedanken daran, mit deinem Partner Zeit zu verbringen, in Begeisterung ausbrichst. Kein Mensch kann nur aufgrund seiner Gefühle ein brennendes Verlangen nach Zweisamkeit aufrechterhalten. Es ist allerdings auch schwierig, jemanden aus einem Pflichtgefühl heraus zu lieben.

Ein frisch verheiratetes Paar erfreut sich aneinander. Ihre Liebe ist noch jung und neu und in ihren Herzen schlummert die Hoffnung auf eine romantische Zukunft. Doch es gibt noch etwas, das ebenso kraftvoll ist, wie diese junge, frische Liebe. Diese Kraft wird wirksam, wenn du dich *entscheidest*, dich an deinem Partner zu erfreuen und ihn zu lieben, und zwar ganz unabhängig davon, wie lange du schon verheiratet bist. Mit anderen Worten: Liebe, die auf einer *Entscheidung* beruht, ist genauso mächtig wie Liebe, die sich auf *Gefühle* gründet. In vielerlei Hinsicht handelt es sich hierbei sogar um eine aufrichtigere Liebe, weil du dir nichts vormachst.

Wenn wir uns selbst überlassen bleiben, neigen wir dazu, uns gegenseitig zu missbilligen. Sie wird dir auf die Nerven gehen. Du wirst dich über ihn aufregen. Doch die Zeit, die uns bleibt, ist zu kurz, um sie mit Streitereien über Belangloses zu verschwenden. Dafür ist das Leben zu vergänglich.

Es ist Zeit, dein Herz in eine andere Richtung zu lenken, dass du dich wieder an deinem Partner erfreust. *Freue dich* an deinem Ehepartner. Nimm ihre Hand und suche ihre Gesellschaft. Begehre das Gespräch mit ihm. Erinnere dich daran, weshalb du dich in sie verliebt hast. Akzeptiere deinen Partner so, wie er ist – mit allen Eigenarten und Fehlern – und heiße ihn wieder in deinem Herzen willkommen.

Noch einmal, du entscheidest, was für dich wertvoll ist. Es ist nicht etwa so, dass du bereits mit bestimmten Vorlieben und „Voreinstellungen" geboren wurdest und jetzt entsprechend handeln musst. Wenn du beispielsweise gereizt bist, dann deshalb, weil du dich dafür entschieden hast. Wenn du dich nur in einem picobello sauberen Haushalt wohlfühlst, dann, weil du dich dafür entschieden hast. Wenn du deinen Partner häufiger kritisierst als lobst, hat das folgenden Grund: Du hast Selbstsucht in deinem Herzen zugelassen. Du selbst hast dich in diese kritische Haltung begeben.

Es ist Zeit, dein Herz in eine andere Richtung zu lenken. Es ist Zeit, dass du lernst, dich wieder an deinem Partner zu erfreuen. Du wirst feststellen, dass diese Freude aus deinem Herzen kommt.

Es mag dich vielleicht überraschen, aber in der Bibel gibt es viele romantische Liebesgeschichten, doch keine ist offensichtlicher und herausfordernder als das Hohelied. Achte einmal darauf, wie in diesem poetischen Buch beschrieben wird, wie diese Liebenden sich aneinander erfreuen.

Die Frau: „Wie ein Apfelbaum unter den Bäumen des Waldes, so ist mein Geliebter unter den Söhnen. In seinem Schatten zu sitzen, gelüstet es mich, und seine Frucht ist meinem Gaumen süß. Er hat mich ins Weinhaus hineingeführt, und sein Zeichen über mir ist Liebe" (Hld 2,3-4).

Der Mann: „Mach dich auf, meine Freundin, meine Schöne, und komm! Meine Taube in den Schlupfwinkeln der Felsen, im Versteck an den Felsstufen, lass mich deine Gestalt sehen, lass mich deine

Stimme hören! Denn deine Stimme ist süß und deine Gestalt anmutig" (Hld 2,13-14).

Zu rührselig? Zu schmalzig? Nicht für jene, die in ihrem Herzen beschlossen haben, sich an ihrem Liebsten zu erfreuen – selbst dann, wenn der neue Lack Risse bekommt, ja sogar dann, wenn sie Lockenwickler im Haar hat und ihm die Haare ausgehen. Es ist Zeit, dass du dich daran erinnerst, weshalb du dich einst in deinen Partner verliebt hast. Es ist Zeit wieder gemeinsam zu lachen, miteinander zu flirten und zu träumen. Und zwar mit Genuss.

Die heutige Herausforderung wird dich vielleicht zu einer wirklichen und radikalen Herzensveränderung veranlassen. Für einige ist diese Veränderung ein kleiner Schritt, für andere ein Riesensprung.

Wenn du dich bereits zuvor an deinem Partner erfreut hast – und das hast du, als du geheiratet hast – dann kannst du es jetzt wieder tun. Selbst wenn es schon sehr lange her ist, und auch, wenn sehr viel geschehen ist, das deine Sichtweise verändert hat.

Es ist deine Aufgabe, wiederzuentdecken, was du an dem Menschen liebst, dem du dich für immer versprochen hast.

Die heutige Herausforderung

Verzichte ganz bewusst auf eine Aktivität, die du normalerweise ausüben würdest, damit du mit deinem Partner eine gute Zeit verbringen kannst. Unternimm etwas, was er immer schon einmal tun wollte oder nimm dir ein Projekt vor, an dem er gerne arbeitet. Verbringt einfach Zeit miteinander.

__ Setze hier ein Häkchen, wenn du deine heutige Herausforderung bewältigt hast.

- Auf welche Aktivität hast du verzichtet? Was habt ihr zusammen unternommen?
- Wie ist es gelaufen? Was hast du Neues über deinen Partner herausgefunden (oder an ihm wiederentdeckt)?

Um mehr darüber zu erfahren, wie du dein Herz „lenken" kannst, schau nach im Anhang IV, S. 210.

Gib mir ... dein Herz, und deine Augen lass an meinen Wegen Gefallen haben! (Spr 23,26)

Tag 15

Liebe erweist Ehre und Respekt

Seid rücksichtsvoll zu euren Frauen! ... Achtet und ehrt sie; denn sie haben mit euch am ewigen Leben teil (1 Petr 3,7 – Die Gute Nachricht)

In unserer Sprache haben bestimmte Worte eine sehr starke Bedeutung. Jedes Mal, wenn sie ausgesprochen werden, geht ein gewisser Respekt damit einher. Diese Worte werden nie etwas von ihrer Qualität und Erhabenheit verlieren. Auf eines dieser Worte wollen wir uns heute konzentrieren – es handelt sich um das Wort *Ehre.*

Jemanden ehren bedeutet, dass man ihm Respekt und Wertschätzung entgegenbringt – dass man diesen Menschen wie etwas Besonderes und sehr Wertvolles behandelt. Du achtest auf deine Wortwahl und darauf, dass du dich deutlich ausdrückst, wenn du mit einem Menschen sprichst, den du ehrst. Du bist höflich und zuvorkommend. Wenn wiederum ein Mensch mit dir so redet, nimmst du ernst, was er sagt und du misst seinen Worten Gewicht und große Bedeutung bei. Wenn er dich um etwas Bestimmtes bittet, kommst du dieser Bitte schon allein aus Respekt dieser Person gegenüber gerne nach, wenn es dir irgendwie möglich ist.

In der Bibel heißt es, dass wir Vater und Mutter, aber auch jene, die in Autorität stehen, ehren sollen. Wir werden angehalten, die Position oder den Wert einer Person anzuerkennen. *Ehre* ist ein nobles Wort.

Das trifft insbesondere auf eine Ehe zu. Deinen Partner zu ehren bedeutet, dass du ihm deine volle Aufmerksamkeit schenkst – du unterhältst dich nicht halbherzig mit ihm, während du dich hinter der Zeitung versteckst oder mit einem Auge auf den Fernseher schielst. Wenn Entscheidungen zu treffen sind, die euch beide oder die ganze Familie betreffen, misst du der Meinung deines Partners das gleiche Gewicht bei wie deiner eigenen.

Du respektierst, was dein Partner zu sagen hat. Dein Partner ist wichtig – und das solltest du ihm durch dein Verhalten vermitteln.

Es gibt noch ein weiteres Wort, das uns auf eine andere Ebene bringen kann. Dieses Wort wird nur selten in Verbindung mit „Ehe" gebraucht, wenngleich man dessen Bedeutung nicht unterschätzen sollte. Dieses Wort bildet genau genommen die Grundlage für Ehre – also den wahren Grund, weshalb wir unseren Partner ehren und schätzen. Es handelt sich um das Wort *heilig*.

Wenn man sagt, dass dein Partner dir heilig sein soll, bedeutet das nicht, dass er vollkommen ist. Heiligkeit bedeutet, dass jemand auserwählt ist, um seiner höheren Bestimmung nachzukommen – diese Person führt dann kein alltägliches Leben mehr, sie ist besonders und einzigartig. Wenn dir jemand heilig geworden ist, kann niemand mehr mit dieser Person konkurrieren. Dieser Mensch ist dir heilig – du ehrst, lobst und verteidigst diese Person.

Eine Braut behandelt ihr Brautkleid so: Nachdem sie es an ihrem besonderen Tag getragen hat, legt sie es in einen Kleidersack, um es zu schützen. Anschließend hängt sie es in ihren Kleiderschrank, aber so, dass es von der restlichen Kleidung getrennt ist. Sie wird damit nicht im Garten arbeiten oder in die Stadt gehen, denn das Kleid ist ihr heilig.

Wenn zwei Menschen heiraten, wird der eine für den anderen durch den Akt der Eheschließung heilig. Das bedeutet, dass niemand sonst auf der Welt berechtigt ist, das gleiche Maß an Hingabe und Zärtlichkeit zu empfangen, wie dein Partner. Eure Beziehung ist einzigartig. Du bist mit niemandem so intim, wie mit deinem Partner – und ausschließlich mit ihm. Du hast Kinder mit diesem Menschen. Dein Herz, dein Besitz und dein Leben sind untrennbar mit dieser Person verbunden.

Verhält es sich so in deiner Ehe? Würde dein Partner sagen, dass du ihn ehrst und respektierst? Betrachtest du diesen Menschen als besonders und sehr wertvoll, ja, heilig?

Vielleicht fühlst du dich nicht so – möglicherweise sogar aus gutem Grund. Vielleicht wünschst du dir, dass ein Außenstehender sehen könnte, wie respektlos dein Partner dich behandelt – jemand der deinen Partner in Verlegenheit bringen würde, wenn er herausfände, wie er sich dir gegenüber hinter verschlossenen Türen verhält.

Doch darum geht es der Liebe nicht. Ein Mensch, der liebt, ehrt andere auch dann, wenn seine Liebe zurückgewiesen wird. Wenn du deinen Partner wirklich liebst, behandelst du ihn selbst dann als besonders und heilig, wenn du auf eine undankbare Haltung stößt und nichts zurückbekommst.

Es ist wirklich wunderbar, wenn ein Ehepaar in dieser Weise verbunden ist – wenn die Partner der biblischen Aufforderung nachkommen, einander in Liebe ergeben zu sein und einer dem anderen in der Ehrerbietung zuvorkommt (siehe Röm 12,10). „Die Ehe soll von allen in Ehren gehalten werden und das Ehebett unbefleckt" (Hebr 13,4 – Schlachter-Übers.).

Auch wenn deine Bemühungen, den anderen zu ehren, nicht erwidert werden, solltest du nicht aufhören, ihn weiterhin unvermindert zu ehren. Liebe wagt zu sagen: „Von all meinen Beziehungen werde ich unsere immer am meisten wertschätzen. Ich bin bereit, für dich die größten Opfer zu bringen. Ich entscheide mich, dich zu lieben und zu ehren, und zwar trotz all deiner Fehler, deiner Sünden und deines Versagens." Auf diese Weise schaffst du eine Atmosphäre, in der Liebe neu entfacht werden kann. So leitest du dein Herz an, deinen Partner abermals aufrichtig zu lieben. Und das ist die Schönheit von Ehre.

Die heutige Herausforderung

Entscheide dich für eine Massnahme, deinem Partner Ehre und Respekt zu zeigen, die über die gewohnte „Routine" hinausgeht. Beispielsweise könntest du deiner Frau die Tür aufhalten. Vielleicht richtest du deinem Mann die Kleidung für den nächsten Tag her. Du könntest aber auch durch die Art und Weise, wie du ein Gespräch führst, einen Unterschied machen. Zeige deinem Partner, dass du ihn sehr wertschätzt.

__ Setze hier ein Häkchen, wenn du deine heutige Herausforderung bewältigt hast.

- Auf welche Weise hast du deinem Partner gezeigt, dass du ihn ehrst? Was kam dabei heraus? Welche weiteren Möglichkeiten siehst du, um deinem Partner in den nächsten Tagen zu zeigen, dass du ihn ehrst?

Ich bringe sie so zu Ehren, dass niemand sie mehr verachtet. (Jer 30,19 – Die Gute Nachricht)

Tag 16

Liebe geht in die Fürbitte

Geliebter, ich wünsche, dass es dir in allem wohlgeht und du gesund bist, wie es deiner Seele wohlgeht. (3 Joh 2)

Du kannst deinen Partner nicht verändern. So sehr du es dir auch wünschen magst, du kannst nicht Gott spielen – du kannst weder das Herz deines Partners verändern noch ihn so verändern, wie es deinen Vorstellungen entspricht. Doch genau darauf verwenden die meisten Ehepaare ihre Zeit – ihren Partner zu verändern.

„Wahnsinn" wurde folgendermaßen beschrieben: wenn man immer wieder dasselbe tut und dabei unterschiedliche Resultate erwartet. Aber geschieht nicht genau das, wenn du versuchst, deinen Partner zu verändern? Das führt zu großen Enttäuschungen. Irgendwann musst du akzeptieren, dass du diese Veränderungen nicht bewirken kannst. Doch Folgendes *kannst* du tun: Du kannst ein kluger Landwirt werden.

Ein Landwirt kann nicht bewirken, dass aus einem Samen eine Frucht wird. Es bringt nichts, den Samen zu „überreden", ihn zu manipulieren oder von ihm zu verlangen, dass er Frucht bringt. Doch er kann den Samen in fruchtbaren Boden pflanzen, ihn bewässern, düngen, vor Unkraut schützen und ihn Gott überlassen. Millionen von Bauern haben über Jahrhunderte hinweg so ihren Lebensunterhalt verdient. Landwirte sind sich darüber im Klaren, dass nicht jeder Samen keimt. Doch die meisten Samen *werden* aufgehen, wenn sie in den geeigneten Boden gepflanzt werden und das bekommen, was sie brauchen.

Es gibt keine Garantie, dass der Inhalt dieses Buches deinen Partner verändern wird. Doch darum geht es in diesem Buch auch nicht. Es geht darum, dass du wagst zu lieben. Wenn du diese Herausforderung ernst nimmst, ist die Wahrscheinlichkeit groß, dass du innerlich verändert wirst.

Wenn du die einzelnen Herausforderungen umsetzt, bleibt dein Partner davon nicht unberührt und du wirst erleben, dass deine Ehe aufblüht. Vielleicht dauert es Wochen, vielleicht sogar Jahre, doch ganz unabhängig von der Bodenbeschaffenheit musst du dich auf Erfolg einstellen. Du musst das Unkraut aus deiner Ehe entfernen. Du musst den Herzensboden deines Partners nähren und dann auf Gott vertrauen.

Doch das kannst du nicht allein bewerkstelligen. Du brauchst etwas, das weitaus mächtiger ist als alles, was du selbst hast. Ich spreche von wirkungsvollem Gebet.

Gebet funktioniert wirklich! Es handelt sich um ein geistliches Phänomen, das ein allmächtiger Gott geschaffen hat. Gebet bewirkt erstaunliche Resultate.

Würdest du deine Ehe am liebsten aufgeben? Jesus sagte, dass wir nicht aufgeben, sondern beten sollen (siehe Lk 18,1). Bist du total gestresst und deprimiert? Durch Gebet können die Stürme in deinem Leben zur Ruhe gebracht werden (siehe Phil 4,6-7). Brauchst du einen entscheidenden Durchbruch? Gebet kann alles verändern (siehe Apg 12,1-17).

Gott ist souverän. Er tut Dinge auf seine Art. Er ist kein Flaschengeist, der alle deine Wünsche erfüllt. Doch er liebt dich und er wünscht sich eine innige Beziehung zu dir, aber das geschieht nicht losgelöst vom Gebet.

Es gibt ein paar entscheidende Voraussetzungen, die stimmen müssen. Doch es genügt wohl, wenn ich sage, dass Gebet dann am wirksamsten ist, wenn es einem demütigen Herzen entspringt und man in der richtigen Beziehung zu Gott und den Menschen steht. In der Bibel heißt es: „Bekennt nun einander die Sünden und betet füreinander ... Viel vermag eines Gerechten Gebet in seiner Wirkung“ (Jak 5,16).

Hast du dich jemals gefragt, warum Gott dir einen überwältigenden Blick auf die verborgenen Fehler deines Partners gewährt? Glaubst du wirklich, das geschieht, damit du endlos herumnörgeln kannst? Nein, es geht darum, dass du effektiv beten kannst. Niemand außer dir weiß besser, wie man für deinen Partner beten sollte.

Hat dein Geschimpfe und Genörgel etwas bewirkt? Die Antwort ist „nein", denn dadurch lässt sich ein Herz nicht verändern. Es ist Zeit, dass du stattdessen in deine Gebetskammer gehst und mit Gott redest.

Ein verheirateter Mann wird feststellen, dass Gott seine Frau wesentlich besser „wiederherstellen kann" als er selbst. Eine verheiratete Frau wird durch strategisches Gebet mehr bewirken, als durch ihre gesamte Überzeugungsarbeit. Außerdem lebt es sich auf diese Weise wesentlich angenehmer.

Verwandle also deine Klagen in Gebete und sieh, was der Meister tun wird, während du dich heraushältst. Es ist offensichtlich, wofür du beten musst, wenn dein Partner noch keine Beziehung zu Gott hat.

Darüber hinaus bete konkret für das, was dein Partner braucht. Bete für seine Herzenshaltung. Bete für seine Gesinnung. Bete dafür, dass dein Partner seiner Verantwortung Gott gegenüber nachkommt. Bete dafür, dass die Lügen durch Wahrheit ersetzt werden. Bete dafür, dass Bitterkeit durch Vergebung ersetzt wird. Bete für einen echten Durchbruch in eurer Ehe. Danach bete für deine Herzenswünsche – dass Liebe und Ehre zur Regel werden. Bete für mehr Romantik und Intimität in eurer Ehe.

Bete für deinen Partner, denn das ist das Liebevollste, was du jemals für ihn tun kannst. „Bittet, und es wird euch gegeben werden; sucht, und ihr werdet finden; klopft an, und es wird euch geöffnet werden!" (Mt 7,7).

Die heutige Herausforderung

Fange heute an, für die Herzenshaltung deines Partners zu beten. Bete hinsichtlich deines Partners und deiner Ehe für drei konkrete Bereiche, in denen du Gottes Hilfe benötigst.

__ Setze hier ein Häkchen, wenn du
deine heutige Herausforderung bewältigt hast.

- Hast du in der Vergangenheit bereits die Kraft des Gebets erfahren? Für welche Gebetsanliegen hast du dich entschieden? Fiel es dir leicht oder schwer zu beten?

Wenn du mehr über effektives Gebet herausfinden möchtest, dann schau nach im Anhang I, S. 204.

Wenn jemand gottesfürchtig ist und seinen Willen tut, den hört er. (Joh 9,31)

Tag 17

Liebe fördert Vertrautheit

Wer Vergehen zudeckt, strebt nach Liebe; wer aber eine Sache (immer wieder) aufrührt, entzweit Vertraute. (Spr 17,9)

Du kannst ein inniges Verhältnis zu einem guten Freund haben, den du schon seit deiner Kindheit oder deiner Schulzeit kennst. Du kannst ein inniges Verhältnis zu deinem Bruder, deinen Eltern oder einer gleichaltrigen Cousine haben. Doch nichts ist mit der engen Beziehung zwischen Eheleuten zu vergleichen. Die Ehe ist die engste menschliche Beziehung, die es gibt.

Deshalb brauchen wir sie so sehr. Jeder von uns kommt mit dem starken inneren Bedürfnis in diese Welt, dass andere ihn kennen, lieben und akzeptieren. Wir möchten, dass andere Menschen wissen, wie wir heißen, dass sie uns erkennen, wenn sie uns sehen, und uns schätzen. Die Aussicht, unser Haus mit einem Menschen zu teilen, der uns durch und durch kennt, gehört zu den großen Vorzügen einer Ehe.

Doch in diesem Segen liegt auch die größte Gefahr. Jemand, der so eng mit uns vertraut ist, kann uns entweder mit einer Intensität lieben, wie wir es uns nicht vorstellen konnten oder uns so sehr verletzen, dass wir uns davon vielleicht nie mehr richtig erholen. In einer Ehe liegen Freud und Leid also dicht beieinander.

Was von beidem erlebst du gerade am häufigsten? Sind die Geheimnisse, die dein Partner über dich weiß, *Anlass für Konflikte* oder bringen sie euch *näher* zusammen? Wenn dein Partner dieselbe Frage beantworten müsste, würde er dann sagen, dass er sich bei dir *sicher* fühlt oder hat er *Ängste*?

Wenn ihr nicht das Gefühl habt, dass euer Zuhause ein Ort der Geborgenheit ist, wird die Versuchung, diese Geborgenheit anderswo zu suchen, nicht ausbleiben. Vielleicht suchst du aber auch Trost in deiner Arbeit oder in Hobbys – in Dingen, bei denen du vor zu viel Nähe geschützt bist, aber dennoch Menschen um dich hast, die dich respektieren und akzeptieren.

Dein Partner sollte nicht das Gefühl haben, dass er perfekt sein muss, um von dir Bestätigung zu bekommen. Dein Partner sollte an dem Ort, an dem er sich frei und ungezwungen fühlen sollte, keine Schutzschilde aufrichten müssen. In der Bibel heißt es: „Furcht ist nicht in der Liebe, sondern die vollkommene Liebe treibt die Furcht aus" (1 Joh 4,18). Die Atmosphäre in eurer Ehe sollte von Freiheit bestimmt sein. Ebenso wie bei Adam und Eva im Garten Eden, sollte eure Vertrautheit durch die Nähe eurer Gemeinschaft verstärkt werden. Dass die Tatsache, dass sie nackt waren und sich nicht schämten, in einem Satz genannt wird, ist aufschlussreich (siehe 1 Mose 2,25) – das Gleiche sollte auf eure Ehe zutreffen – sowohl auf körperlicher als auch auf emotionaler Ebene.

Zugegeben, es handelt sich hierbei um ein sensibles Thema. Durch die Ehe wurde das Gepäck eines anderen in deinem Leben abgeladen, ebenso wie dein Gepäck im Leben deines Partners. Ihr hättet beide Grund, beschämt zu sein, weil so viel von euch offenbar wurde, doch ihr habt nun die Gelegenheit, diese vertraulichen Informationen in die schützende Umarmung eurer Liebe einzuhüllen und euch gegenseitig zu versprechen, einander zu helfen.

Vielleicht müssen einige dieser Geheimnisse aufgearbeitet werden. Du kannst bei diesem Prozess der Mensch sein, der Heilung und Wiederherstellung vermittelt – nicht durch deine theoretischen Vorträge, nicht durch Kritik, sondern indem du liebevoll zuhörst und deine Unterstützung anbietest.

Einige dieser Geheimnisse müssen lediglich akzeptiert werden. Sie gehören einfach zur „Geschichte" dieser Person und sind Bestandteil ihres Lebens geworden. Auch wenn es nicht angenehm ist, sich mit diesen Problemen zu beschäftigen, sollte man dennoch immer einfühlsam damit umgehen.

In jedem Fall liegt es bei dir, ob du deinem Partner mitsamt seiner Problematik zur Seite stehst oder nicht. Entweder wird dein Partner die Gewissheit haben, dass er bei dir sicher ist und Fehler machen darf oder er wird sich zurückziehen und du erreichst ihn nicht mehr – vielleicht nie mehr. Es sollte dein Lebenswerk sein, deinen Partner wirklich zu lieben.

Sieh es einmal so: Niemand kennt dich besser als Gott, der dich geschaffen hat. Der Schreiber des Psalm 139 hatte recht, als er sagte: „Du kennst mein Sitzen und mein Aufstehen, du verstehst mein Trachten von fern. Mein Wandeln und mein Liegen – du prüfst es. Mit allen meinen Wegen bist du vertraut. Denn das Wort ist (noch) nicht auf meiner Zunge – siehe, Herr, du weißt es genau“ (Ps 139,2–4).

Und obwohl Gott alle unsere Geheimnisse kennt – selbst die, die wir verdrängen – liebt er uns mit einer unfassbaren Liebe. Wie viel mehr sollten wir, als unvollkommene Menschen, unseren Partner großzügig und verständnisvoll behandeln, ihn so akzeptieren, wie er ist und ihm versichern, dass seine Geheimnisse bei uns gut aufgehoben sind?

Vielleicht hast du auf diesem Gebiet in der Vergangenheit versagt. Dann erwarte nicht, dass dein Partner dir augenblicklich sein Herz öffnet. Du musst erst wieder Vertrauen aufbauen. Selbst Jesus wird nicht als jemand beschrieben, der in das Leben von Menschen hineinplatzt – sondern er steht an der Tür und klopft an. „Siehe, ich stehe an der Tür und klopfe an; wenn jemand meine Stimme hört und die Tür öffnet, zu dem werde ich hineingehen und mit ihm essen und er mit mir“ (Offb 3,20).

Es braucht Zeit, um echte Vertrautheit zu entwickeln, besonders wenn man jemanden gekränkt hat. Doch du hast heute die Möglichkeit, dieses Vertrauen wieder aufzubauen – das gilt für jeden, der diese Herausforderung annimmt.

Die heutige Herausforderung

Entscheide dich, die Geheimnisse deines Partners zu schützen (ausser du würdest ihn oder dich selbst in Gefahr bringen) und für ihn zu beten. Rede mit deinem Partner und entscheide dich, ihm trotz der vorhandenen Probleme Liebe zu zeigen. Höre aufmerksam zu, wenn dein Partner mit dir über seine Kämpfe und sehr persönlichen Gedanken spricht. Gib ihm das Gefühl von Sicherheit.

__ Setze hier ein Häkchen, wenn du deine heutige Herausforderung bewältigt hast.

- Wie schwer fällt es dir, nichts Kritisches zu sagen? Hast du heute, einfach weil du zugehört hast, etwas über deinen Partner gelernt?

Tag 17 – Liebe fördert Vertrautheit

Ich gehöre meinem Geliebten, und mein Geliebter gehört mir. (Hld 6,3)

Tag 18

Liebe sucht zu verstehen

*Glücklich der Mensch, der Weisheit gefunden hat,
der Mensch, der Verständnis erlangt!* (Spr 3,13)

Es bereitet uns Freude, so viel wie möglich über die Dinge herauszufinden, die uns wirklich wichtig sind. Wenn es um unseren Fußballverein geht, lesen wir jeden Artikel, um auf dem Laufenden zu bleiben. Wenn wir uns fürs Kochen interessieren, schauen wir uns die Sendungen an, in denen die besten Grilltechniken und Rezepte erklärt werden. Wir sind bestens informiert, wenn über ein Thema berichtet wird, das uns interessiert. Genau genommen werden diese Bereiche sogar häufig zu persönlichen Studienfächern.

Es ist vollkommen in Ordnung, sich für bestimmte Dinge zu interessieren und darüber bestens informiert zu sein. Doch die Liebe würde an dieser Stelle folgende Frage stellen: „Wie viel weißt du über deinen Partner?"

Denke an die Zeit zurück, als ihr ein Liebespaar wart. Hast du den Menschen, nachdem du dich sehntest, nicht buchstäblich studiert?

Wenn ein Mann sich darum bemüht, das Herz einer Frau zu erobern, studiert er sie. Er findet heraus, was ihr gefällt und was ihr nicht gefällt, aber auch welche Gewohnheiten und welche Hobbys sie hat. Doch nachdem er ihr Herz gewonnen und sie geheiratet hat, erforscht er sie häufig nicht mehr. Es scheint dann nicht mehr so geheimnisvoll und herausfordernd zu sein, sie besser kennenzulernen, sodass er sich jetzt für andere Bereiche interessiert.

Das trifft auch auf viele Frauen zu, die anfangs voller Bewunderung und Respekt für den Mann waren, mit dem sie zusammen sein wollten. Doch wenn sich nach der Hochzeit herausstellt, dass ihr Prinz ein unvollkommener Mensch mit Fehlern ist, schwinden die Gefühle.

Bei deinem Partner gibt es aber nach wie vor verborgene Dinge zu entdecken. Diese Erkenntnis wird euch helfen, näher zueinanderzufinden. Durch Erkenntnis kannst du bei deinem Partner sogar Gunst erlangen. „Gute Einsicht verschafft Gunst“ (Spr 13,15).

Denke einmal über Folgendes nach: Wenn die Intensität, mit der du deinen Partner vor der Hochzeit studiert hast, etwa dem Abitur entsprochen hat, dann solltest du ihn weiter studieren, bis du den Hochschulabschluss, den Magister und schließlich den Doktortitel erreichst. Stell dir eine lebenslange Reise vor, die euch stetig enger zusammenbringt.

- Kennst du die größte Hoffnung und den größten Traum deines Partners?
- Hast du wirklich verstanden, wie dein Partner gerne Liebe gibt und empfängt?
- Kennst du die größten Ängste deines Partners und weiß du, weshalb er in diesen Bereichen Mühe hat?

Manche Schwierigkeiten, die du mit deinem Partner hast, sind schlichtweg darauf zurückzuführen, dass du ihn nicht verstehst. Wahrscheinlich geht dein Partner mit bestimmten Situationen vollkommen anders um als du und du verstehst nicht, warum das so ist.

Diese Unterschiede – auch jene, die relativ unerheblich erscheinen – können zu vielen Auseinandersetzungen und Konflikten führen. In der Bibel finden wir den Hinweis, dass wir dazu tendieren, die Dinge, die wir nicht kennen, zu verunglimpfen (siehe Jud 10).

Es gibt Gründe für den Geschmack und die Vorlieben deines Partners. Jede Nuance seines Charakters hat eine Vorgeschichte. Jedem Bestandteil seiner Persönlichkeit – wie er denkt und was ihn ausmacht, liegen Leitlinien zugrunde, die häufig nur für ihn selbst einen Sinn ergeben. Aber die Zeit, die man investiert, um zu erforschen, weshalb der Partner so ist, wie er ist, lohnt sich.

Wenn du darunter leidest, dass in eurer Beziehung nicht mehr der Grad an Intimität herrscht wie einst, ist eine der besten Möglichkeiten, um das Herz deines Partners erneut aufzuschließen, folgende: Setze alles daran, deinen Partner wirklich zu kennen. Studiere ihn. Lies ihn wie ein Buch, das du verstehen möchtest.

Stelle Fragen. In der Bibel heißt es: „... und das Ohr der Weisen sucht Erkenntnis" (Spr 18,15). Liebe ergreift die Initiative, um Gespräche zu beginnen. Damit dein Partner sich öffnet, muss er wissen, dass du ihn wirklich verstehen willst und dass dein Interesse an ihm echt ist.

Höre zu. „Weise bewahren Erkenntnis, aber der Mund des Narren ist nahes Verderben" (Spr 10, 14). Wenn du deinen Partner wirklich verstehen willst, musst du ihm zuhören und ihm nicht ständig deine Meinung sagen. Selbst wenn dein Partner nicht sehr gesprächig ist, wird Liebe dich motivieren, das tiefe Wasser, das in ihm schlummert, zu ergründen (siehe Spr 10,14).

Bitte Gott, dir Einsicht zu schenken. „Denn der HERR gibt Weisheit. Aus seinem Mund (kommen) Erkenntnis und Verständnis" (Spr 2,6). Dinge, wie geschlechtsspezifische Unterschiede, familiäre Hintergründe und unterschiedliche Lebenserfahrungen, können deinen Blick für den wahren Herzenszustand und die Beweggründe deines Partners trüben. Doch Gott gibt Weisheit. Der Herr wird dir zeigen, was nötig ist, damit du weißt, wie du deinen Partner besser lieben kannst.

„Durch Weisheit wird ein Haus gebaut und durch Verstand wird es befestigt; und durch Erkenntnis füllen sich die Kammern mit allerlei kostbaren und angenehmen Gütern" (Spr 24,3-4). Du wirst erstaunt sein, wenn du entdeckst, welche Tiefe an Schönheit und Bedeutung in deinem Partner verborgen ist. Komme dem Geheimnis mit Erwartung und Enthusiasmus auf die Spur. Verlange danach, mehr über diesen Menschen zu erfahren, als du jetzt weißt. Du wirst dein Heim mit einem Reichtum erfüllen, den nur Liebe geben kann, wenn du deinem Partner deine Aufmerksamkeit widmest und ihn wirklich kennenlernen willst.

Die heutige Herausforderung

Bereite in deinem Heim nur für euch zwei ein ganz besonderes Abendessen vor. Nutze diese Zeit, um deinen Partner besser kennenzulernen. Du kannst das Essen ganz nach eurem Geschmack gestalten. Vielleicht sprecht ihr dabei über Themen, über die ihr bisher nur selten geredet habt. Nimm dir vor, dass es für dich und deinen Partner ein schöner Abend wird.

__ Setze hier ein Häkchen, wenn du deine heutige Herausforderung bewältigt hast.

- Hast du etwas über deinen Partner erfahren, das du vorher nicht wusstest? Auf welche Weise könntest du diesen Prozess des besseren Kennenlernens fortsetzen? Welche Momente machten diesen Abend unvergesslich?

Weitere Fragen zu dieser Herausforderung findest du im Anhang II, S. 206

Erwirb dir Weisheit! Und mit allem, was du erworben hast, erwirb (dir) Verstand! (Spr 4,7)

Tag 19

Wahre Liebe ist aus eigener Kraft unmöglich

Geliebte, lasst uns einander lieben! Denn die Liebe ist aus Gott; und jeder, der liebt, ist aus Gott geboren und erkennt Gott. (1 Joh 4,7)

40 *Tage Liebe wagen* beginnt mit einem Geheimnis. Obwohl dieser Aspekt bisher unausgesprochen blieb, hast du wahrscheinlich mehr und mehr Verdacht geschöpft. Da du nun schon so weit gekommen bist, hast du dieses Geheimnis sicher schon entdeckt, auch wenn du es bisher nicht genau in Worte fassen konntest.

Das Geheimnis ist: Du kannst aus dir selbst heraus keine bedingungslose Liebe (oder *Agape*-Liebe) produzieren. Es ist unmöglich. Es übersteigt deine Fähigkeiten. Es liegt jenseits *all* unserer Fähigkeiten.

Vielleicht ist es dir gelungen, Freundlichkeit und Selbstlosigkeit in irgendeiner Form zu demonstrieren und vielleicht hast du auch gelernt, aufmerksamer und rücksichtsvoller zu sein. Doch jemanden wirklich selbstlos und bedingungslos zu lieben, ist noch einmal etwas völlig anderes.

Wie ist es also möglich? Ob es dir nun gefällt oder nicht – du *kannst* keine *Agape*-Liebe produzieren. Gott allein kann diese Liebe bewirken. Doch wegen seiner großen Liebe zu dir – und zu deinem Partner – beabsichtigt er, seine Liebe *durch dich* zum Ausdruck zu bringen.

Vielleicht bist du davon immer noch nicht überzeugt. Vielleicht glaubst du immer noch, dass du aus dir selbst heraus bedingungslose, dauerhafte und aufopfernde Liebe aufbringen kannst, wenn du dich nur genug anstrengst und dieses Ziel im Auge behältst. Du willst glauben, dass du diese Liebe in dir trägst.

Doch wie oft hat deine „eigene Liebe" versagt und dich nicht davon abgehalten zu lügen, deinen fleischlichen Begierden nachzugehen, übertrieben zu reagieren oder schlecht über die Person zu denken, der du vor Gott ewige Liebe geschworen hast?

Wie oft hat „deine eigene Liebe" bewiesen, dass du deinen Ärger nicht in den Griff bekommst? Wie oft hat „deine eigene Liebe" einen dauerhaften Streit friedlich beendet oder dich dazu bewegt zu vergeben?

Hier zeigt sich der sündige Zustand des Menschen. Wir alle sind den Geboten Gottes nicht gerecht geworden (siehe Röm 3,23). Bei uns allen wurden Eigenschaften wie Egoismus, Hass und Stolz offenbar. Falls nun nicht irgendetwas unternommen wird, das uns von diesen scheußlichen Eigenschaften reinigt, werden wir vor Gott schuldig im Sinne der Anklage sein (siehe Röm 6,23). Wenn du mit Gott nicht im Reinen bist, kannst du deinen Partner nicht aufrichtig lieben, denn Gott selbst ist die Quelle dieser vollkommenen Liebe.

Du kannst nicht geben, was du nicht hast. Du kannst nicht innere Reserven und Mittel abrufen, die nicht vorhanden sind. Ebenso wie du nicht eine Million Euro weggeben kannst, die du nicht besitzt, kannst du auch nicht mehr Liebe weitergeben, als du hast. Du kannst es zwar versuchen, aber es wird nicht funktionieren.

Die schlechte Nachricht lautet wie folgt: Diese Liebe, die jedem Druck standhalten kann, ist für dich so lange unerreichbar, wie du in dir selbst danach suchst. Du brauchst jemanden, der dir diese Liebe geben kann.

„Denn die Liebe kommt von Gott" (1 Joh 4,7 – Die Gute Nachricht). Und nur jene, die es ihm durch den Glauben an seinen Sohn Jesus ermöglicht haben, in ihr Herz zu kommen – nur die Menschen, die den Geist Christi durch den Glauben an seinen Tod und seine Auferstehung empfangen haben – sind in der Lage, die wahre Kraft der Liebe anzuzapfen. Jesus sagte: „Getrennt von mir könnt ihr nichts tun" (Joh 15,5).

Er sagte aber auch: „Wenn ihr in mir bleibt und meine Worte in euch bleiben, so werdet ihr bitten, was ihr wollt, und es wird euch geschehen" (Joh 15, 7). Gott hat durch Christus verheißen, dass er durch Glauben in deinem Herzen wohnen wird, damit du die Liebe Christi erkennst, die alle Erkenntnis übersteigt und mit der ganzen Fülle Gottes erfüllt wirst (siehe Eph 3,19).

Wenn du dein Leben Christus übergibst, kann seine Kraft durch dich wirken. Selbst in deiner besten Verfassung bist du aus eigener Kraft nicht in der Lage, Gottes Maßstäbe zu erfüllen. Doch er „vermag, über die Maßen mehr, als wir erbitten oder erdenken, gemäß der Kraft, die in uns wirkt" (Eph 3,20). Dann bist du auch in der Lage, deinen Partner zu lieben.

Für jene, die der Liebe Gottes nicht länger widerstehen, sondern sie empfangen, bedeutet besagtes Geheimnis also ein glückliches Ende – auch wenn sich das Unvermögen, aus eigener Kraft lieben zu können, vielleicht für manche wie eine Niederlage anfühlt. Das bedeutet, dass die Liebe, die Gott durch den Heiligen Geist in unsere Herzen ausgegossen hat (siehe Röm 5,5), jederzeit verfügbar ist – jedes Mal, wenn wir uns entscheiden, sie in Anspruch zu nehmen.

Doch ohne ihn wirst du einfach nicht in der Lage sein, wirklich zu lieben.

Vielleicht hast du dein Herz nie zuvor an Christus ausgeliefert, aber du spürst, dass er dich heute zu sich zieht. Vielleicht ist dir zum ersten Mal klar geworden, dass du Gottes Gebote gebrochen hast und dass deine Sünde dich daran hindert, ihn kennenzulernen. Doch in der Bibel heißt es, dass er bereit ist, dir aufgrund des Opfers, das Jesus am Kreuz erbracht hat, zu vergeben, wenn du Buße tust – das bedeutet, dass du dich von deiner Sünde abwendest und dich Gott zuwendest. Er verfolgt dich – nicht um dich zu unterjochen, sondern um dich zu befreien, damit du seine Liebe und seine Vergebung empfangen kannst. Dann kannst du das, was du empfangen hast, mit dem Menschen teilen, den du ausdrücklich lieben sollst.

Vielleicht bist du bereits gläubig, aber du musst dir eingestehen, dass du keine lebendige Gemeinschaft mehr mit Gott hast. Du beschäftigst dich nicht mehr mit der Bibel, du betest nicht mehr und vielleicht besuchst du auch keine Gemeinde mehr. Aus der Liebe, die du einst so intensiv spürtest, ist Apathie geworden.

Die Wahrheit ist, dass du nicht ohne ihn leben und nicht ohne ihn lieben kannst. Es ist gar nicht abzusehen, was er in deiner Ehe bewirken könnte, wenn du auf ihn vertraust.

Die heutige Herausforderung

Schau dir noch einmal die Herausforderungen der letzten Tage an. Gab es Herausforderungen, die dir unmöglich erschienen? Hast du erkannt, wie sehr du auf Gott angewiesen bist, damit er dein Herz verändert und dich befähigt, zu lieben? Bitte ihn dir zu zeigen, wie es um deine Beziehung zu ihm bestellt ist und bitte für die Gnade und Kraft, deine ewige Bestimmung festzumachen.

__ Setze hier ein Häkchen, wenn du deine heutige Herausforderung bewältigt hast.

- Was glaubst du, sagt Gott zu dir? Fühlst du dich in deinem Herzen angesprochen? Welche Entscheidung hast du daraufhin getroffen?

Bei Menschen ist dies unmöglich, bei Gott aber sind alle Dinge möglich. (Mt 19,26)

Tag 20

Jesus Christus ist Liebe

Denn Christus ist, als wir noch kraftlos waren, zur bestimmten Zeit für Gottlose gestorben. (Röm 5,6)

Das Thema und die Herausforderung des vorherigen Tages führen zwangsläufig zu dieser Schlussfolgerung. Es ist wunderbar, dass du mit dieser Wahrheit leben kannst – heute, morgen und in alle Ewigkeit.

Jesus kam, um dich „zu suchen und zu retten" (Lk 19,10). Alles, worin du versagt hast, alles, was du nicht zu tun vermochtest, jede Minute, die du verschwendet hast, als du versuchtest, den von dir angerichteten Schaden aus eigener Kraft zu beheben – all das wird dir vergeben und kommt wieder in Ordnung, wenn du dein Leben in die Hände deines Schöpfers legst.

Vielleicht hast du diesen Schritt noch nicht getan. Dann ist heute dein Tag. „Siehe, jetzt ist die hochwillkommene Zeit, siehe, jetzt ist der Tag des Heils" (2 Kor 6,2).

Vielleicht hast du diese Entscheidung schon vor Jahren getroffen, aber dich inzwischen weit von deinen geistlichen Wurzeln entfernt. Dann „tue Buße und bekehre dich, dass deine Sünden ausgetilgt werden, damit Zeiten der Erquickung kommen vom Angesicht des Herrn" (siehe Apg 3,19 – TEILWEISE FREI WIEDERGEGEBEN). Selbst wenn du in deiner Beziehung zu Christus seit deiner Bekehrung beständig geblieben bist, wirst du dich aufgrund der folgenden Schriftstellen dankbar daran erinnern, was er für dich getan hat.

In der Bibel heißt es, dass wir bereits von Geburt an sündig sind. „Siehe, in Schuld bin ich geboren, und in Sünde hat mich meine Mutter empfangen" (Ps 51,7). „Wir alle sind wie ein Unreiner geworden und all unsere Gerechtigkeiten wie ein beflecktes Kleid" (Jes 64,5). Gott schickt keine unschuldigen Menschen in die Hölle. Wir haben es nicht anders verdient. Wir können einfach nicht so gut sein, dass wir mit einem reinen und heiligen Gott zusammenleben können.

Doch wahr ist, „dass Gott seinen eingeborenen Sohn in die Welt gesandt hat, damit wir durch ihn leben möchten" (1 Joh 4,9). „Der in Gestalt Gottes war und es nicht für einen Raub hielt, Gott gleich zu sein. Aber er machte sich selbst zu nichts und nahm Knechtsgestalt an ... erniedrigte er sich selbst und wurde gehorsam bis zum Tod, ja, zum Tod am Kreuz" (siehe Phil 2,6-8). „Der unsere Sünden an seinem Leib selbst an das Holz hinaufgetragen hat, damit wir, den Sünden abgestorben, der Gerechtigkeit leben; durch dessen Striemen ihr geheilt worden seid" (1 Petr 2,24). Durch seinen Tod verloren sämtliche Gedanken der Minderwertigkeit – wie „Du bist nicht geliebt" oder „Du bist nicht wertvoll" – jegliche Macht. Wenn du dich dennoch so fühlst, schaust du nicht auf das Kreuz. Dort hat er bewiesen, wie sehr er dich liebt.

Diese Liebe kann man nicht in vollem Maße verstehen: „Denn kaum wird jemand für einen Gerechten sterben; denn für den Gütigen möchte vielleicht jemand auch zu sterben wagen. Gott aber erweiset seine Liebe zu uns darin, dass Christus, als wir noch Sünder waren, für uns gestorben ist" (Röm 5,7-8).

Diese Liebe kann man sich auch nicht verdienen: „Denn der Lohn der Sünde ist der Tod, die Gnadengabe Gottes aber ewiges Leben in Christus Jesus, unserem Herrn" (Röm 6,23). „Denn aus Gnade seid ihr gerettet durch Glauben, und das nicht aus euch, Gottes Gabe ist es; nicht aus Werken, damit niemand sich rühme" (Eph 2,8-9).

Doch diese Liebe muss empfangen werden: „Denn wenn du mit deinem Mund Jesus als den Herrn bekennst und in deinem Herzen glaubst, daß Gott ihn aus den Toten auferweckt hat, so wirst du gerettet" (Röm 10,9-10 Schlachter-Übers.).

Wenn du dieses neue Leben und diese Liebe empfangen hast, wirst du so lieben können, wie es dir niemals zuvor möglich war.

„Hieran haben wir die Liebe erkannt, dass er für uns sein Leben hingegeben hat; auch wir sind schuldig, für die Brüder das Leben hinzugeben

… Und dies ist sein Gebot: dass wir an den Namen seines Sohnes Jesus Christus glauben und einander lieben, wie er es uns als Gebot gegeben hat" (1 Joh 3,16 + 23). „Wer nicht liebt, hat Gott nicht erkannt, denn Gott ist Liebe" (1 Joh 4,8).

Er war bereit, dich zu lieben, obwohl du es nicht verdient hast – sogar, als du seine Liebe nicht erwidert hast. Obwohl er all deine Fehler und deine Unvollkommenheit sah, beschloss er, dich zu lieben. In seiner Liebe erbrachte er das größte Opfer, um deiner größten Not zu begegnen. Das Resultat ist, dass du jetzt (durch seine Gnade) in der Fülle und dem Segen seiner Liebe wandeln kannst – jetzt und in alle Ewigkeit.

Das bedeutet, dass du dieselbe Liebe deinem Partner zuteilwerden lassen kannst. Du kannst ihn sogar dann lieben, wenn er deine Liebe nicht erwidert. Selbst wenn du seine Fehler und Unzulänglichkeiten siehst, kannst du dich entscheiden, ihn zu lieben. Natürlich kannst du seine Bedürfnisse nicht auf die Weise erfüllen, wie Gott es vermag, aber du kannst das Werkzeug sein, durch das die Bedürfnisse deines Partners erfüllt werden. Das bedeutet, dass dein Partner in der Fülle und dem Segen deiner Liebe wandeln kann – jetzt und bis an sein Lebensende.

Wahre Liebe findet man nur in Christus. Nachdem du nun seine Gabe eines neuen Lebens empfangen hast, indem du anerkannt hast, dass er an deiner statt starb und deine Sünden getragen hat, bist du schließlich bereit, die Herausforderung zu leben.

Die heutige Herausforderung

Wage es, Gott beim Wort zu nehmen. Wage es, dich Jesus Christus für deine Errettung anzuvertrauen. Wage zu beten: „Herr Jesus, ich bin ein Sünder. Doch indem du für mich starbst, um meine Sünde zu vergeben, hast du mir gezeigt, wie sehr du mich liebst. Durch deine Auferstehung hast du bewiesen, dass du die Macht hast, mich vom Tod zu erretten. Herr, verändere mein Herz und errette mich durch deine Gnade."

__ Setze hier ein Häkchen, wenn du
deine heutige Herausforderung bewältigt hast.

- Schreibe auf, wie du diesen Schritt erlebt hast. Was hat der Herr dir heute gezeigt? – Beantworte diese Frage auch dann, wenn du dich erneut entschieden hast, seine Liebe zu empfangen und sie weiterzugeben.

In seiner Liebe und in seinem Erbarmen hat er sie erlöst. (Jes 63,9)

Tag 21

Liebe findet Erfüllung in Gott

Und beständig wird der Herr dich leiten, und er wird deine Seele sättigen.
(Jes 58,11)

Tag 20 war für dich persönlich und deine Ehe besonders wichtig. Du wurdest mit der eklatanten Not des menschlichen Herzens konfrontiert. Vielleicht wurde dir zum ersten Mal bewusst, wie sehr dich dieses Problem persönlich betrifft. Vielleicht ist dir klar geworden, dass du den Schaden, den Sünde zurücklässt, nicht selbst beheben kannst, und dass Jesus der Einzige ist, der dir das geben kann, was dir bisher gefehlt hat. Wenn du ihn im Glauben angenommen und ihm dein Leben anbefohlen hast, damit er die Führung übernimmt, wird der Heilige Geist dein Herz erneuern. Seine Weisheit, Gnade und Kraft kann jetzt bei allem, was du tust, freigesetzt werden. Selbstverständlich auch in deiner Ehe.

Unabhängig davon, ob es sich für dich hierbei um Neuland handelt oder ob du Jesus schon eine Weile nachfolgst, musst du dich jetzt in diesem Punkt festlegen: Du brauchst Gott jeden Tag. Es handelt sich hierbei nicht um eine Teilzeitangelegenheit. Nur er allein kann dich zufriedenstellen – selbst dann, wenn alles andere enttäuschend für dich ist.

Vielleicht kommt dein Mann wieder einmal zu spät nach Hause. Gott wird niemals zu spät kommen.

Vielleicht hat deine Frau dich im Stich gelassen. Doch du kannst Gott vertrauen, dass er seine Versprechen immer hält.

Du hast jeden Tag Erwartungen an deinen Partner. Manchmal kann er ihnen gerecht werden und manchmal nicht. Doch dein Partner wird deine Anforderungen niemals in vollem Umfang erfüllen – zum einen, weil einige deiner Ansprüche unangemessen sind und zum anderen, weil dein Partner auch nur ein Mensch ist.

Bei Gott ist das nicht so. Die Menschen, die ihm tagtäglich vertrauen, werden feststellen, wie verlässlich er ist.

Kann dein Partner dir inneren Frieden geben? Nein. Doch Gott kann es. „Seid um nichts besorgt, sondern in allem sollen durch Gebet und Flehen mit Danksagung eure Anliegen vor Gott kundwerden; und der Friede Gottes, der allen Verstand übersteigt, wird eure Herzen und eure Gedanken bewahren in Christus Jesus" (Phil 4,6-7).

Kann dein Partner bewirken, dass du in jeder Lebenssituation zufrieden bist? Nein. Doch Gott kann es. „Ich habe nämlich gelernt, mit der Lage zufrieden zu sein, in der ich mich befinde ... Ich vermag alles durch den, der mich stark macht, Christus" (Phil 4,11+13 – Schlachter-Übers.).

Du hast Bedürfnisse, die nur Gott vollkommen zufriedenstellen kann. Wenngleich dein Partner auch *einige* deiner Anforderungen erfüllen kann, nur Gott kann sie alle erfüllen. Dein Bedürfnis nach Liebe. Dein Bedürfnis nach Annahme. Dein Bedürfnis nach Freude. Es ist an der Zeit, dass du aufhörst, von einem anderen Menschen zu erwarten, dass er rund um die Uhr dafür sorgt, dass du „funktionierst" und ein erfülltes Leben hast. Das kann nur Gott für dich tun, wenn du lernst, dich ganz auf ihn zu verlassen. Doch er will es auf seine Weise tun: „Mein Gott aber wird alles, wessen ihr bedürft, erfüllen nach seinem Reichtum in Herrlichkeit in Christus Jesus" (Phil 4,19).

Das Bedürfnis nach Liebe, Frieden und ausreichender Versorgung ist real. Niemand sagt, dass du es nicht haben solltest. Doch anstatt dich auf deine Gesundheit, dein Geld oder sogar auf die Liebe deines Partners zu verlassen – all diese Dinge sind nicht verlässlich – setze dein Vertrauen in Gott. Er ist der Einzige, der sich *niemals* verändert. Seine Treue, seine Wahrhaftigkeit und seine Verheißungen gegenüber seinen Kindern bleiben immer bestehen. Aus diesem Grund solltest du ihn jeden Tag suchen.

Der einzige Grund, weshalb wir dies nicht tun, ist, dass wir nicht wirklich glauben, dass Gott unsere Bedürfnisse erfüllen wird. Doch in der Bibel heißt es: „Und habe deine Lust am Herrn, so wird er dir geben, was dein Herz begehrt" (Ps 37,4). Er hat versprochen, uns mit dem zu versorgen, was wir tatsächlich brauchen – und mehr brauchen wir nicht, um zufrieden zu sein – wenn er für uns an erster Stelle steht. Das bedeutet auch, dass wir ihn zuerst suchen und dass wir ihn mehr lieben als alles andere.

An einem Brunnen in Samaria sprach Jesus einmal mit einer Frau. Sie hatte versucht, Erfüllung in ihren Beziehungen zu finden, doch diese Beziehungen waren allesamt gescheitert. Als sie an diesen Ort kam, war ihr Wassereimer genauso leer wie sie selbst. Sie war zerbrochen, verhärtet und sehr verzweifelt. Doch in Christus fand sie das „lebendige Wasser“ (Joh 4,19). Das, was er ihr zu geben hatte, stillte ihren Durst nicht nur vorübergehend, sondern hat ihre Seele für immer erfrischt. Dieses lebendige Wasser steht dir ebenfalls zur Verfügung – jeden Morgen, wenn die Sonne aufgeht und jeden Abend, bevor du zu Bett gehst, und zwar ganz unabhängig davon, wie dein Partner sich dir gegenüber verhalten hat.

Gott ist an jedem Tag dein Versorger. Er versorgt dich mit allem, was du brauchst.

Die heutige Herausforderung

Nimm dir heute bewusst Zeit, um zu beten und in der Bibel zu lesen. Versuche täglich ein Kapitel aus dem Buch der Sprüche (es besteht aus 31 Kapiteln – damit ist also ein ganzer Monat abgedeckt) oder den Evangelien (Matthäus, Markus, Lukas und Johannes) zu lesen. Tauche ein in die Liebe Gottes und in die Verheissungen, die er für dich hat.
Wenn du das tust,
wird dein geistliches Wachstum gefördert.

__ Setze hier ein Häkchen, wenn du
deine heutige Herausforderung bewältigt hast.

- Wie wird sich diese tägliche Zeit mit Gott deiner Meinung nach auf deine persönliche Situation und deine Sichtweise auswirken? Auf welche Weise kannst du Gott in deinem Alltag mehr Raum geben?

Du tust deine Hand auf und sättigst alles Lebendige nach Wohlgefallen. (Ps 145,16)

Tag 22

Liebe ist Treu

Ja in Treue will ich dich mir verloben; und du wirst den Herrn erkennen.
(Hos 2,22)

Für uns Christen ist die Liebe die Grundlage unserer Identität. Zu unserer geistlichen Wiedergeburt kam es aus folgendem Grund: „Denn so hat Gott die Welt geliebt, dass er seinen eingeborenen Sohn gab, damit jeder, der an ihn glaubt, nicht verloren geht, sondern ewiges Leben hat" (Joh 3,16).

Als Jesus gefragt wurde, welches das größte Gebot sei, antwortete er: „Du sollst den Herrn, deinen Gott, lieben aus deinem ganzen Herzen ... mit deiner ganzen Seele ... mit deiner ganzen Kraft ... mit deinem ganzen Verstand und deinen Nächsten wie dich selbst" (Lk 10,27).

Die Menschen sollen erkennen können, dass wir Christi Jünger sind, wenn sie die Liebe sehen, die wir füreinander haben (siehe Joh 13,35). Sie ist die Wurzel und die Grundlage unserer Existenz (siehe Eph 3,17) und sie soll nun leidenschaftlich zum Ausdruck gebracht werden (siehe 1 Petr 4,8). Wir sollen mehr und mehr in der Liebe wachsen (1 Thess 3,12) und sie soll mehr und mehr unser Erkennungszeichen werden.

Wir wurden also dazu geschaffen, um Liebe weiterzugeben, aber was machst du, wenn deine Liebe zurückgewiesen wird? Wie gehst du damit um, wenn der Mensch, dem du dich verpflichtet hast, deine Liebe – die du ja weitergeben sollst – plötzlich nicht mehr annimmt?

Der Bericht über den Propheten Hosea ist einer der ungewöhnlichsten in der Bibel. Entgegen aller Vernunft und moralischer Werte gibt Gott ihm den Auftrag, eine Prostituierte zu heiraten. Gott wollte durch diese Ehe seine bedingungslose Liebe verdeutlichen. Aus Hoseas Ehe mit Gomer gingen drei Kinder hervor. Wie aufgrund ihres früheren Lebenswandels zu erwarten war, gab sie sich nicht damit zufrieden, Hosea die Treue zu halten. Als sie Hosea verließ, war sein Herz gebrochen und er musste zudem mit der Schande leben, dass sie ihn verlassen hatte.

Er liebte sie wirklich, doch sie wies seine Liebe zurück. Sie kamen einander näher, doch sie wurde untreu und brach die Ehe wegen wildfremden Männern.

Die Zeit verging und schließlich sprach Gott abermals zu Hosea. Gott trug ihm auf, erneut zu der Frau zu gehen, die ihm wiederholt untreu gewesen war, um ihr erneut seine Liebe zu beteuern. Diese Frau hatte einen Tiefpunkt erreicht und musste nun aus der Sklaverei losgekauft werden. Hosea bezahlte den erforderlichen Betrag und brachte sie nach Hause. Ja, sie hatte seine Liebe missachtet. Sie hatte sich ihm gegenüber heimtückisch verhalten, doch er nahm sie wieder in sein Leben auf und zeigte ihr seine bedingungslose Liebe.

Dies ist eine wahre Geschichte, durch die Gott uns deutlich macht, wie sehr er uns liebt. Er überschüttet uns mit seiner Gnade, obwohl wir oftmals überhaupt nicht darauf reagieren. Manchmal verhalten wir uns derart schändlich, dass wir seine Liebe sogar als störend empfinden, weil wir meinen, sie würde uns daran hindern, das zu tun, was wir wollen. Wir weisen ihn häufig ab – selbst nachdem wir das Geschenk der ewigen Errettung empfangen haben – doch er liebt uns immer noch. Er bleibt treu.

Allerdings hindert seine Liebe ihn nicht daran, uns für unser Fehlverhalten zur Verantwortung zu ziehen. Für unser ablehnendes Verhalten bezahlen wir häufig einen höheren Preis, als uns bewusst ist. Nichtsdestotrotz reagiert er mit Gnade und Barmherzigkeit. „In ihm haben wir die Erlösung durch sein Blut, die Vergebung der Vergehungen, nach dem Reichtum seiner Gnade“ (Eph 1,7). An ihm sehen wir, was man tut, wenn Liebe abgewiesen wird. Man bleibt weiterhin treu.

In der sogenannten Bergpredigt fordert Jesus uns zu dieser Liebe auf. Er sagte: „Liebt eure Feinde; tut wohl denen, die euch hassen; segnet, die euch fluchen; betet für die, die euch beleidigen!“ (Lk 6,27-28).

„Und wenn ihr liebt, die euch lieben, was für einen Dank habt ihr? Denn auch die Sünder lieben, die sie lieben. Und wenn ihr denen Gutes tut, die euch Gutes tun, was für einen Dank habt ihr? Auch die Sünder tun dasselbe" (Lk 6,32-33).

„Doch liebt eure Feinde, und tut Gutes, und leiht, ohne etwas wieder zu erhoffen! Und euer Lohn wird groß sein, und ihr werdet Söhne des Höchsten sein; denn er ist gütig gegen die Undankbaren und Bösen" (Lk 6,35).

Als du vor dem Traualtar gestanden hast, hättest du dir niemals träumen lassen, dass der Mensch, den du heiratest, für dich später einmal zu einem „Feind" werden könnte, und dass es für dich ein Opfer bedeuten würde, ihn zu lieben. Doch leider sinkt die Beziehungsebene tatsächlich in viel zu vielen Ehen auf dieses Niveau ab. Es geht sogar so weit, dass es zum Verrat und leider auch zu Untreue kommt.

Für viele ist das der Anfang vom Ende. Einige entscheiden sich für die Scheidung. Andere, denen mehr an ihrem Ruf als an ihrem eigenen Glück gelegen ist, treffen die Entscheidung, diese Farce aufrechtzuerhalten. Natürlich gefällt ihnen das nicht, sie haben aber auch nicht die Absicht, wirklich etwas zu ändern, geschweige denn, sich wieder zu lieben.

Für einen Christen ist das jedoch nicht der Maßstab. Wenn wir uns wirklich an Gottes Liebe orientieren, müssen wir selbst dann lieben, wenn unsere Annäherungsversuche abgelehnt werden. Doch um so zu lieben, brauchst du seine Liebe.

Du kannst deinem Partner unverdiente Liebe erweisen, weil Gott dir unverdiente Liebe erweist. Häufig wird Liebe denen gegenüber am stärksten zum Ausdruck gebracht, die sie am wenigsten verdienen.

Bitte Gott, dass er dich mit der Liebe erfüllt, die nur er geben kann. Gib diese Liebe dann so an deinen Partner weiter, dass zum Ausdruck kommt, wie sehr du Gott dankbar bist, dass er dich liebt. Das ist die Schönheit von erlösender Liebe. Das ist die Kraft von Treue.

Die heutige Herausforderung

Liebe ist kein Gefühl, sondern eine Entscheidung. Sie ergreift zuerst die Initiative, denn sie ist keine voraussehbare Reaktion. Sei entschlossen, heute in Liebe zu wandeln, selbst wenn dein Partner das Interesse verloren hat, deine Liebe anzunehmen. Sage ihm heute mit Worten wie diesen, dass du ihn liebst: „Ich liebe dich. Punkt. Ich habe mich entschieden, dich zu lieben, selbst wenn du meine Liebe nicht erwiderst.“

__ Setze hier ein Häkchen, wenn du
deine heutige Herausforderung bewältigt hast.

- Warum ist es unmöglich zu lieben, wenn die Liebe Christi nicht in deinem Herzen ist? Wie befähigt dich seine Gegenwart in dir zu lieben, auch wenn diese Liebe einseitig ist?

Den Weg der Treue habe ich erwählt. (Ps 119,30)

Tag 23

Liebe beschützt immer

Liebe beschützt immer.
(1 Kor 13,7 – nach der „New International Version", frei wiedergegeben.)

Zu einer Ehe gehören die unterschiedlichsten Erfahrungen – Freud und Leid, Erfolg und Misserfolg. Wenn du darüber nachdenkst, was du dir für deine Ehe wünschst, kommt dir das Wort „Schlachtfeld" wohl am allerwenigsten in den Sinn. Es gibt allerdings einige Schlachten, die du unbedingt austragen solltest. Gemeint sind jene Kämpfe, in denen es darum geht, deinen Partner zu beschützen.

Unglücklicherweise hat deine Ehe Feinde. Sie treten in unterschiedlicher Form auf und sie haben verschiedene Strategien. Wenn du nicht weißt, wie man sie abwehrt, werden sie sich zusammentun, um deine Beziehung zu zerstören.

Einige dieser Feinde sind listig. Sie erwecken den Anschein, als seien sie attraktiv, doch sie sind nur darauf aus, die Liebe und Wertschätzung, die ihr füreinander habt, zu zerstören. Manche von ihnen sind darauf aus, dein Herz von deinem Partner „wegzulocken", indem sie dich mit ungesunden Fantasien und unrealistischen Vergleichen bombardieren. Diesen Kampf musst du führen, um deine Ehe zu schützen – Liebe legt die Rüstung an und sie ergreift das Schwert, um die Seinen zu schützen. Du musst dafür sorgen, dass dein Partner und deine Ehe vor Dingen wie diesen geschützt werden:

Schädigende Einflüsse: Lässt du zu, dass bestimmte Gewohnheiten dein Zuhause vergiften? Internet und Fernsehen können dein Leben bereichern, doch durch diese Medien können auch zerstörerische Inhalte transportiert werden. Außerdem rauben sie dir vielleicht wertvolle Zeit mit deiner Familie. Das Gleiche gilt für deine Arbeitszeiten, die sich ebenfalls negativ auf eure

Beziehung auswirken können, wenn ihr nicht genug Zeit füreinander habt. Du kannst dein Zuhause nicht beschützen, wenn du dich dort nur selten aufhältst oder wenn ihr euch schon zu sehr entfremdet habt. Du musst um die richtige Ausgewogenheit kämpfen.

Ungesunde Beziehungen: Nicht jeder Mensch hat das Zeug dazu, ein guter Freund zu sein. Nicht jeder Mann, mit dem du zum Angeln und auf die Jagd gehst, wird vernünftige Ansichten vertreten, wenn es um das Thema „Ehe“ geht. Nicht jede deiner Freundinnen hat die richtige Einstellung zu Themen wie „eine feste Bindung“ und „Prioritäten“. Um es auf den Punkt zu bringen: Jeder, der deine Ehe untergraben will, ist es nicht wert, dein „Freund“ genannt zu werden. Natürlich musst du immer auf der Hut sein, wenn du Beziehungen zu Menschen des anderen Geschlechts eingehst – sei es bei der Arbeit, im Fitnessstudio oder in der Gemeinde –, damit sie dich gefühlsmäßig nicht von dem Menschen entfernen, dem du dein Herz bereits geschenkt hast.

Schwachpunkte: Jeder Mensch hat in irgendeiner Form mit seinem Selbstwertgefühl oder einer bestimmten Schwachstelle zu tun. Aufgrund der Tatsache, dass diese Dinge innerhalb einer Ehe offenbar werden, musst du deinen Ehepartner schützen, indem du vor anderen niemals negativ über ihn redest oder seine Schwachstellen preisgibst. Seine Geheimnisse sind deine Geheimnisse (ausgenommen natürlich, wenn es um zerstörerische Verhaltensmuster geht, die für dich, eure Kinder oder für ihn selbst eine Gefahr darstellen). Liebe verbirgt also die Fehler von anderen. Sie deckt Schwachstellen zu.

Parasiten: Sei auf der Hut vor Parasiten. Ein Parasit ist alles, das sich an dich oder deinen Partner hängt, um das Leben aus eurer Ehe zu saugen. Normalerweise treten sie in Form von Süchten – wie Spielsucht, Drogen oder Pornografie – in Erscheinung. Sie versprechen Spaß, doch dann breiten sie sich aus wie eine Krankheit und nehmen mehr und mehr von deinen Gedanken, deiner Zeit und deinem Geld in Beschlag. Sie bewirken, dass du deinem Partner gegenüber untreu wirst und sie stehlen dein Herz. Ehen, in denen Parasiten sich aufhalten können, haben nur selten

Bestand. Wenn du deinen Partner wirklich liebst, musst du jede Sucht ausrotten, die dich in Beschlag nimmt. Wenn du das nicht tust, wird diese Sucht dich zerstören.

In der Bibel wird auf diese Beschützerrolle deutlich hingewiesen, dabei wird häufig das Bild eines Hirten gebraucht. Gott warnte: „Meine Schafe wurden geraubt und von wilden Tieren gefressen." Warum? „Weil sie keinen Hirten hatten." Das geschah nicht etwa, weil diese Männer zu schwach waren, um ihren Pflichten nachzukommen, sondern weil sie einfach nicht aufpassten. Anstatt darauf zu achten, dass die Schafe nicht von Raubtieren geholt wurden, sorgten die Hirten nur für sich selbst und nicht für die Herde (siehe Hes 34,8 – DIE GUTE NACHRICHT). Sie kümmerten sich vorrangig um ihre eigenen Bedürfnisse und waren kaum auf jene bedacht, die unter ihrer Aufsicht standen.

Frauen – Ihr habt hinsichtlich eurer Ehe eine Beschützerrolle. Ihr müsst auf euer Herz achtgeben, dass ihr nicht durch Romane, Zeitschriften oder andere Formen der Unterhaltung den Blick für die Realität verliert und unrealistische Erwartungen an eure Ehemänner habt. Stattdessen müsst ihr euren Männern helfen, dass sie sich „stark" fühlen. Achtet darauf, dass ihr nicht den Blick für eure Familie verliert, indem ihr euch an den Maßstäben der Talkshows orientiert. „Die Weisheit der Frauen baut ihr Haus, aber die Narrheit reißt es mit eigenen Händen nieder" (Spr 14,1).

Männer – Ihr seid das Haupt eurer Familie. Du bist Gott gegenüber verantwortlich, dass du deine Familie beschützt und gegen alles vorgehst, was deine Frau oder deine Ehe bedroht. Das ist eine große Verantwortung. Diese Aufgabe erfordert sowohl Mut als auch Weisheit für vorbeugende Maßnahmen. „Wenn der Hausherr gewusst hätte, in welcher Wache der Dieb kommt, so hätte er wohl gewacht und nicht zugelassen, dass in sein Haus eingebrochen wird" (Mt 24,43). Das ist deine Aufgabe. Nimm sie ernst.

Die heutige Herausforderung

Entferne alles aus deinem Leben, was die Beziehung zu deinem Partner beeinträchtigt – jede Abhängigkeit und jeden Einfluss, der deine Zuneigung stehlen und dein Herz deinem Partner gegenüber entfremdet.

__ Setze hier ein Häkchen, wenn du deine heutige Herausforderung bewältigt hast.

- Womit hast du zuerst gebrochen? Gibt es noch weitere Bereiche, die du in Angriff nehmen musst? Was erhoffst du dir von diesem Schritt für dich persönlich, für deine Ehe und für deine Beziehung zu Gott?

Wenn du zu dem Allmächtigen umkehrst, so wirst du aufgerichtet werden, wenn du die Ungerechtigkeit aus deinem Zelt entfernst. (Hiob 22,23 – Schlachter-Übers.)

Tag 24

Liebe gegen Begierde

Und die Welt vergeht und ihre Begierde;
wer aber den Willen Gottes tut, bleibt in Ewigkeit. (1 Joh 2,17)

Adam und Eva wurden im Garten Eden mit allem versorgt, was sie brauchten. Sie hatten Gemeinschaft mit Gott und eine innige Beziehung zueinander. Doch nachdem Eva von der Schlange getäuscht worden war, sah sie die verbotene Frucht und begehrte sie. Adam ließ sich ebenfalls auf ihren Wunsch ein und so widersetzten sie sich Gottes Gebot und aßen von der Frucht.

Das ist die Reihenfolge: über die Augen zum Herzen zur Tat. Anschließend empfindet man Scham und Reue.

Wir sind ebenfalls mit allem versorgt worden, was wir für ein erfülltes, produktives Leben benötigen. „Denn wir haben nichts in die Welt hereingebracht, so dass wir auch nichts hinausbringen können" (1 Tim 6,7). Aber in der Bibel heißt es weiter, dass wir zufrieden sein sollen, wenn wir Nahrung und Kleidung haben. Jesus hat verheißen, dass Gottes Kinder immer mit diesen Dingen versorgt werden (siehe Mt 6,25-33).

Gottes Segnungen gehen allerdings so weit über diese grundlegenden Bedürfnisse hinaus, dass wir wahrlich sagen können, dass wir keinen Mangel haben. Doch wie Adam und Eva wollen auch wir mehr. Deshalb halten wir nach weltlichen Vergnügungen Ausschau. Viele suchen bei einem anderen Menschen oder durch pornografische Bilder sexuelle Erfüllung. Wir schauen hin und fangen an zu fantasieren. Wir sind zwar darum bemüht, uns zurückzuhalten, wenden unseren Blick aber dennoch kaum ab. Wenn unsere Augen erst einmal gefangen sind, bleibt auch unser Herz nicht unbeeinflusst und schließlich handeln wir aufgrund dieser Begierde.

Wir können aber auch leidenschaftlich nach Besitz und Macht streben oder falschen Ehrgeiz entwickeln. Wir sehen, was andere haben und das wollen wir auch haben. Wir lassen uns täuschen und denken: „Ich könnte glücklich sein, wenn ich das hätte." Dann beschließen wir, uns darum zu bemühen.

„Die aber reich werden wollen, fallen in Versuchung und Fallstrick und in viele unvernünftige und schädliche Begierden, welche die Menschen in Verderben und Untergang versenken" (1 Tim 6,9).

Begierde steht im Gegensatz zur Liebe. Begierde bedeutet, nach etwas Verbotenem zu streben. Für einen Christen ist das der erste Schritt, der ihn aus der Gemeinschaft mit Gott und anderen herausführt, und zwar aus folgendem Grund: Jedes Objekt deiner Begierde – sei es nun eine junge Arbeitskollegin, eine Schauspielerin, ein teures Haus oder ein Sportwagen – repräsentiert eine Lüge. Das, was dir vollkommene Zufriedenheit verspricht, ähnelt eher der Spitze des Eisbergs unerfüllter Sehnsüchte.

Begierde bewirkt immer noch mehr Begierde. „Woher (kommen) Kriege und woher Streitigkeiten unter euch? Nicht daher: aus euren Lüsten, die in euren Gliedern streiten?" (Jak 4,1). Diese Begierden bewirken, dass du mit deinem Partner unzufrieden bist. Sie verursachen Zorn, betäuben dein Herz und zerstören Ehen. Sie bringen keine Erfüllung, sondern Leere in dein Leben.

Es ist Zeit, in aller Deutlichkeit zu sagen, was Begierde tatsächlich ist: Es handelt sich um einen fehlgeleiteten Durst nach Erfüllung, den nur Gott stillen kann. Begierde ist wie eine Signallampe auf dem Armaturenbrett deines Herzens, die dich warnt, wenn du dich nicht von der Liebe Gottes füllen lässt. Wenn dein Blick und dein Herz auf Gott ausgerichtet sind, wirst du so handeln, dass du beständige Freude findest und dich nicht in den Kreislauf von Reue und Verdammnis verstrickst.

„Da seine göttliche Kraft uns alles zum Leben und zur Gottseligkeit geschenkt hat durch die Erkenntnis dessen, der uns berufen hat durch (seine) eigene Herrlichkeit und Tugend, durch die er uns die kostbaren und größten Verheißungen geschenkt hat, damit ihr durch sie Teilhaber der göttlichen Natur werdet, die ihr dem Verderben, das durch die Begierde in der Welt ist, entflohen seid“ (2 Petr 1,3-4).

Bist du es leid, von Begierden belogen zu werden? Hast du genug von dem Irrglauben, dass unzulässige Vergnügungen dir Freude und Zufriedenheit geben können? Dann richte deinen Blick auf das Wort Gottes. Beschäftige dich mit den Verheißungen von Freiheit und Frieden, damit diese Wahrheiten dein Herz erfüllen. Empfange täglich Gottes bedingungslose Liebe, die er dir bereits am Kreuz bewiesen hat. Entscheide dich gegen Unzufriedenheit und sei darauf bedacht, Gott für alles zu danken, was er dir bereits gegeben hat.

Du wirst feststellen, dass Gott dich so reichlich versorgt, dass du auf das Junkfood deiner Begierden keinen Appetit mehr hast.

Wende dich deinem Partner wieder mit voller Aufmerksamkeit zu. „Deine Quelle sei gesegnet, erfreue dich an der Frau deiner Jugend ... in ihrer Liebe sollst du taumeln immerdar! Warum solltest du, mein Sohn, an einer Fremden taumeln und den Busen einer anderen umarmen? – Denn vor den Augen des Herrn (liegen) eines jeden Wege, und auf alle seine Bahnen gibt er acht“ (Spr 5,18-21).

„Liebt nicht die Welt noch was in der Welt ist! Wenn jemand die Welt liebt, ist die Liebe des Vaters nicht in ihm“ (1 Joh 2,15). Begierde ist das Beste, was diese Welt anzubieten hat, aber Liebe bietet dir das beste Leben der Welt an.

Die heutige Herausforderung

ZIEHE JETZT KONSEQUENZEN! ERKENNE, IN WELCHEN BEREICHEN DU EIN PROBLEM MIT BEGIERDE HAST UND DANN HANDLE. MACH DIR BEWUSST, IN WELCHEN BEREICHEN DU AUF VERBOTENE VERGNÜGUNGEN EINGEGANGEN BIST UND TRENNE DICH DAVON. FALSCHE BEGIERDE KANN NICHT TOLERIERT WERDEN. SIE MUSS VOLLKOMMEN AUSGEMERZT WERDEN – HEUTE NOCH – UND DURCH DIE VERHEISSUNGEN GOTTES SOWIE EINEM HERZEN, DAS MIT SEINER LIEBE ERFÜLLT IST, ERSETZT WERDEN.

__ Setze hier ein Häkchen, wenn du deine heutige Herausforderung bewältigt hast.

- Welche Begierden hast du ausfindig gemacht? Welche negativen Konsequenzen hatte dieses Verhalten bisher? Inwiefern haben diese Begierden dich verändert; dass du nicht so bist, wie du gerne wärst? Schreibe etwas über deine Entscheidung, Gott zu suchen und dich deinem Partner zuzuwenden, anstatt törichten Begierden nachzugeben.

Handelt als freie Menschen; aber missbraucht eure Freiheit nicht,
um ein zuchtloses Handeln damit zu entschuldigen. (1 Petr 2,16 – Die Gute Nachricht)

Tag 25

Liebe vergibt

Denn auch ich habe, was ich vergeben habe – wenn ich etwas zu vergeben hatte –, um euretwillen vergeben vor dem Angesicht Christi. (2 Kor 2,10)

Diesmal wird es schwierig, denn möglicherweise handelt es sich um die schwierigste Herausforderung des ganzen Buches. Aber du musst diese Herausforderung absolut ernst nehmen, wenn deine Ehe eine Zukunft haben soll. Seelsorger und Pastoren, die regelmäßig Ehepartner beraten, werden bestätigen, dass die Unvergebenheit das vielschichtigste Problem ist. Der daraus entstandene Bruch wird häufig erst ganz zum Schluss repariert. Es reicht nicht, lediglich über Vergebung nachzudenken, sondern sie muss praktiziert werden. Ohne Vergebungsbereitschaft wirst du keine erfolgreiche Ehe führen können.

Im Gleichnis von dem unbarmherzigen Knecht veranschaulichte Jesus sehr deutlich, wie wichtig es ist, zu vergeben. Ein Mann hatte eine beträchtliche Summe Schulden. Er staunte nicht schlecht, als sein Herr seiner Bitte um Erbarmen nachkam und ihm sämtliche Schulden erließ. Doch nachdem ihm dieser gewaltige Schuldenberg erlassen worden war, tat dieser Knecht etwas sehr Unerwartetes. Er suchte einen Mann auf, der ihm wiederum Geld schuldete – allerdings einen wesentlich geringeren Betrag – und bestand auf sofortige Begleichung der Schulden. Als sein Herr davon erfuhr, änderte er augenblicklich die Vereinbarung, die er mit seinem Knecht getroffen hatte. „Und sein Herr wurde zornig und überlieferte ihn den Folterknechten, bis er alles bezahlt habe, was er ihm schuldig war" (Mt 18,34). Der Tag, der für diesen Knecht mit Freude und Erleichterung begonnen hatte, endete für ihn mit Kummer und Hoffnungslosigkeit.

Folter. Gefängnis. Das sollte dir in den Sinn kommen, wenn du über Unvergebenheit nachdenkst, denn Jesus sagte:

„So wird auch mein himmlischer Vater euch tun, wenn ihr nicht ein jeder seinem Bruder von Herzen vergebt“ (Mt 18,35).

Stell dir einmal vor, du würdest dich in einer Art Gefängnis wiederfinden. Wenn du dich von deiner Position aus umsiehst, erkennst du einige Gefängniszellen. Du siehst, dass dort Menschen eingekerkert sind, mit denen du in der Vergangenheit zu tun hattest – Menschen, die dich während deiner Kindheit verletzten. Du siehst Menschen, die du einst deine Freunde nanntest, die dir aber irgendwann Unrecht taten. Möglicherweise siehst du dort auch deine Eltern, einen Bruder, eine Schwester oder andere Familienmitglieder. Sogar dein Partner ist in deiner Nähe eingesperrt – gefangen mit all den anderen in diesem Gefängnis, das du selbst gebaut hast.

Dieses Gefängnis ist ein Raum in deinem Herzen. Diese dunkle, zugige, deprimierende Kammer existiert tagtäglich in dir. Doch nicht weit von dir entfernt steht Jesus, der dir einen Schlüssel entgegenhält, mit dem du allen Gefangenen zur Freiheit verhelfen kannst.

Nein, du willst dich darauf nicht einlassen. Diese Menschen haben dich zu sehr verletzt. Sie wussten sehr wohl, was sie taten und trotzdem verhielten sie sich so – sogar dein Ehepartner, der dir am meisten zur Seite stehen sollte. Also weigerst du dich und wendest dich ab. Jetzt, da du siehst, wie Jesus den Schlüssel in seiner Hand hält – und du weißt, um was er dich bittet – bist du nicht bereit, dort noch länger zu bleiben. Das ist einfach zu viel für dich.

Doch als du versuchst zu fliehen, machst du eine erstaunliche Entdeckung. Es gibt keinen Ausgang. Du sitzt dort mit all den anderen in der Falle. Deine Unversöhnlichkeit, dein Ärger und deine Bitterkeit haben dich ebenfalls zu einem Gefangenen gemacht. Du hast dich ebenso verhalten, wie der Knecht von dem Jesus berichtet, dem eine immense Schuld erlassen wurde. Du hast beschlossen, nicht zu vergeben und deshalb wurdest du dem Kerkermeister und den Folterknechten übergeben. Jetzt ist deine Freiheit davon abhängig, dass du vergibst.

Normalerweise brauchen wir eine ganze Weile, bis wir zu dieser Einsicht kommen. Wir sehen alle möglichen Gefahren und Risiken, wenn es darum geht, anderen zu vergeben. So kann es beispielsweise durchaus sein, dass dich jemand falsch behandelt hat – auch wenn diese Person es nicht zugibt. Vielleicht tut es diesem Menschen noch nicht einmal leid. Möglicherweise fühlt diese Person sich auch noch vollkommen im Recht und gibt womöglich noch dir die Schuld. Doch Vergebung spricht niemanden von seiner Schuld frei. Wenn du jemandem vergibst, wird dessen Sünde nicht aus Gottes „Aufzeichnungen" gelöscht. Doch du erhältst die Freiheit, dir keine Gedanken mehr machen zu müssen, wie du diesen Menschen „bestrafen" könntest. Wenn du jemandem vergibst, überlässt du ihn nicht sich selbst, sondern übergibst ihn Gott, der sich auf seine Weise mit ihm befassen wird. Du ersparst dir weiteren Ärger und du musst jetzt auch nicht mehr darum kämpfen, als der Stärkere dazustehen. Es geht nicht mehr darum, ob man gewinnt oder verliert. Es geht um Freiheit. Es geht um Loslassen.

Deshalb hast du von Menschen, die aufrichtig vergeben haben, schon häufig gehört: „Ich hatte das Gefühl, als ob eine riesige Last von mir abfiel." Ja, so ist es *wirklich*. Es ist so, als ob eine frische Brise dein Herz erfasst. Das dunkle, muffige Gefängnis wird von Licht und einer angenehmen Frische durchflutet. Zum ersten Mal seit Langem empfindest du wieder Frieden. Du fühlst dich frei.

Doch wie machst du das? Du lässt deinen Ärger los und du überlässt es dem Herrn, wie er mit diesem Menschen verfährt: „Rächt euch nicht selbst, Geliebte, sondern gebt Raum dem Zorn (Gottes). Denn es steht geschrieben: Mein ist die Rache; ich will vergelten, spricht der Herr" (Röm 12,19).

Woran *erkennst* du, dass du entsprechend gehandelt hast? Du erkennst es daran, dass du jetzt nicht mehr innerlich kochst, wenn du an diese Menschen denkst, sondern Mitgefühl empfindest – du hoffst aufrichtig, dass sie sich ändern.

Man könnte noch viel mehr dazu sagen und es gibt so viele emotionale Schwierigkeiten, mit denen du dich möglicherweise auseinandersetzen musst, um diese Freiheit zu erlangen. Doch großartige Ehen werden nicht von Menschen gebaut, die sich niemals gegenseitig verletzen, sondern von Menschen, die beschlossen haben, das Böse nicht zuzurechnen (siehe 1 Kor 13,5).

Die heutige Herausforderung

Was auch immer du deinem Partner noch nicht vergeben hast, vergib ihm heute. Lass los. Ebenso wie wir Jesus bitten, uns unsere Schuld zu vergeben, müssen wir ihn auch täglich darum bitten, dass er uns hilft, unseren Schuldigern zu vergeben. Du und dein Partner, ihr seid aufgrund von Unvergebenheit schon viel zu lange im Gefängnis. Sage von ganzem Herzen: „Ich entscheide mich, zu vergeben."

__ Setze hier ein Häkchen, wenn du deine heutige Herausforderung bewältigt hast.

- Was hast du deinem Partner heute vergeben? Wie lange hast du diese Last bereits mit dir herumgeschleppt? Welche Möglichkeiten bestehen jetzt, nachdem du diese Angelegenheit in Gottes Hände gelegt hast?

Vater, vergib ihnen! Denn sie wissen nicht, was sie tun. (Lk 23,34)

Tag 26

Liebe übernimmt Verantwortung

Denn worin du den anderen richtest, verdammst du dich selbst; denn du, der du richtest, tust dasselbe. (Röm 2,1)

Heute wird es nicht einfach. Doch wenn du dich nach Gottes Kraft und Weisheit ausstreckst, wirst du die Herausforderung bewältigen. Wenn du es zulässt, könnte das heutige Thema für deine Ehe zu einem Meilenstein werden. Nimm dir also vor, dich darauf zu konzentrieren, was der Herr dir sagt und versuche seinen Anweisungen zu folgen.

Heute geht es um das Thema „persönliche Verantwortung". Wir alle stimmen darin überein, dass *andere* sich dementsprechend verhalten sollten, aber wir selbst haben Mühe damit. Im Laufe der letzten Jahrzehnte gab es hier eine Negativentwicklung. Es hat den Anschein, als würden Menschen sich immer seltener ihre Fehler eingestehen. Wir sehen es in der Politik. Wir sehen es in der Geschäftswelt. Wir lesen es in den Schlagzeilen über Prominente.

Doch dieses Problem betrifft nicht nur die Reichen und die Berühmten. Wir müssen nur in den Spiegel schauen, um jemanden zu finden, der für alles eine Ausrede hat. Wir sind sehr schnell dabei, unsere Beweggründe zu rechtfertigen. Kritik weisen wir sofort zurück. Und wir sind sehr schnell, wenn es darum geht, bei anderen Fehler zu finden, insbesondere bei unserem Partner – es ist immer am leichtesten, ihm die Schuld zuzuschreiben.

Wir neigen dazu, unsere eigenen Überzeugungen für die richtigen zu halten – zumindest im Vergleich zu denen unseres Partners. Außerdem sind wir davon überzeugt, dass andere sich in unserer Situation kaum anders verhalten würden als wir. Wir sind der Meinung, dass wir bereits unser Bestes geben. Wir glauben tatsächlich, dass unser Partner froh sein sollte, dass wir uns ihm gegenüber so gut verhalten.

Doch jemand, der liebt, weist einem anderen Menschen nicht so schnell die Schuld zu und er rechtfertigt auch nicht seine selbstsüchtigen Motive. Liebe ist wesentlich mehr auf die Bedürfnisse anderer bedacht als auf die eigenen. Ein Mensch, der liebt, übernimmt die Verantwortung für sein Handeln nicht, um zu zeigen, wie nobel er ist, sondern um einzugestehen, dass er noch längst nicht dort ist, wo er sein sollte.

Liebe redet sich nicht heraus. Liebe arbeitet ständig daran, einen Unterschied zu bewirken – in dir und in deiner Ehe.

Höre auf damit, dir bei einer Auseinandersetzung neuen Zündstoff für weitere Konflikte auszudenken – stattdessen denke einmal darüber nach, ob dein Partner nicht Dinge sagt, die du dir zu Herzen nehmen solltest. Was würde geschehen, wenn du zuerst dein eigenes Fehlverhalten zugeben würdest, anstatt deinem Partner die Schuld zuzuschieben? In der Schrift heißt es: „Eine Zurechtweisung macht mehr Eindruck auf den Verständigen als hundert Schläge auf den Narren" (Spr 17,10 – Schlachter-Übers.).

Liebe übernimmt Verantwortung und ist bereit, Fehler und Irrtümer offen zuzugeben und sie zu korrigieren. Übernimmst du für den Menschen die Verantwortung, den du selbst zur Liebe deines Lebens gemacht hast? Wie wichtig ist es dir, dass die Bedürfnisse deines Partners erfüllt werden? Oder geht es dir nur darum, dass deine Bedürfnisse erfüllt werden? Liebe fordert uns zu einem verantwortungsvollen Verhalten gegenüber unserem Partner auf. Ihn zu lieben. Ihn zu ehren. Ihn zu hegen und zu pflegen.

Übernimmst du für deine Fehler die Verantwortung? Hast du zu deiner Frau oder zu Gott Dinge gesagt, die nicht in Ordnung sind? Liebe strebt danach, dass deine Beziehung zu Gott *und* zu deinem Partner intakt ist. Wenn es in diesem Bereich stimmt, hast du die Voraussetzungen dafür geschaffen, dass auch alle anderen Bereiche geklärt werden können.

Möglicherweise wird der Prozess, bis du ein wahrhaft bußfertiges Herz hast, eine Weile dauern. Der Stolz wehrt sich heftig dagegen, Verantwortung zu übernehmen, aber Demut und Aufrichtigkeit gegenüber Gott und deinem Partner sind für eine gesunde Beziehung von entscheidender Bedeutung.

Das bedeutet nicht, dass du immer der Schuldige bist und dein Partner immer recht hat. Es ist auch keine Aufforderung, dass du auf dir herumtrampeln lassen sollst. Wenn allerdings zwischen dir und Gott oder zwischen dir und deinem Partner etwas zu klären ist, sollte das für dich oberste Priorität haben.

„Wenn wir sagen, dass wir keine Sünde haben, betrügen wir uns selbst, und die Wahrheit ist nicht in uns“ (1 Joh 1,8). Es heißt aber auch: „Wenn wir unsere Sünden bekennen, ist er treu und gerecht, dass er uns die Sünden vergibt und uns reinigt von jeder Ungerechtigkeit“ (1 Joh 1,9). Du schaffst eine bessere Grundlage, um die Probleme mit deinem Partner aufarbeiten zu können, wenn du zunächst deine Sünden bekennst.

Wenn du wirklich mit Gott wandeln und beständig seine Gunst erfahren willst, musst du dafür sorgen, dass du ihm gegenüber rein bleibst. Das bedeutet nicht, dass du keine Fehler machen darfst, sondern dass du Gott deine Sünde bekennst und um Vergebung bittest.

Könnte dein Partner zu Recht sagen, dass du ihn ungerecht behandelt und verletzt hast, ohne diese Dinge mit ihm zu klären? Wenn man Verantwortung übernimmt, schließt das mit ein, dass man seine Fehler zugibt und um Vergebung bittet. Es ist Zeit, dass du demütig bist, dein Fehlverhalten korrigierst und die Dinge wieder in Ordnung bringst. Es ist ein Beweis deiner Liebe. Gott möchte nicht, dass zwischen dir und deinem Partner ungelöste Probleme bestehen.

Das Problem ist nur, dass du deinen Stolz überwinden und dich um Vergebung bemühen musst, und zwar unabhängig davon, wie dein Partner reagiert. Er *sollte* dir ebenfalls vergeben, doch du bist nicht für seine Entscheidungen verantwortlich. *Deine* Verantwortung besteht darin, dass du deine Fehler zugibst. Überlass es deinem Partner, ob er zu einem anderen Zeitpunkt die Dinge klärt, die dich betreffen.

Bitte Gott zunächst darum, dir zu zeigen, in welchen Bereichen du deiner Verantwortung nicht nachgekommen bist und kläre diese Dinge mit ihm. Anschließend geh auf deinen Partner zu und kläre die Dinge, die geklärt werden müssen. Vielleicht ist dir noch niemals zuvor etwas so schwer gefallen, aber für deine Ehe und deine Beziehung zu Gott ist es entscheidend, dass du den nächsten Schritt tust. Wenn du es ernst meinst, wirst du möglicherweise überrascht sein, wie viel Gnade und Kraft Gott dir gibt, wenn du diesen Schritt wagst.

Die heutige Herausforderung

Nimm dir Zeit, um für dein Fehlverhalten ausgiebig zu beten. Bitte Gott um Vergebung und bringe dann die Demut auf, deinem Partner dein Fehlverhalten zu bekennen. Sei wahrhaftig. Bitte deinen Partner ebenfalls um Vergebung. Achte darauf, dass du deiner Verantwortung in Liebe nachkommst, und zwar ganz unabhängig davon, wie dein Partner reagiert. Falls er dich kritisiert, sieh die Kritik als einen Ratschlag an.

__ Setze hier ein Häkchen, wenn du
deine heutige Herausforderung bewältigt hast.

- Wie kannst du deinem Partner zeigen, dass du nicht nur ein Lippenbekenntnis abgegeben hast?

Ein jeder aber prüfe sein eigenes Werk. (Gal 6,4)

Tag 27

Liebe ermutigt

Bewahre meine Seele und rette mich! Lass mich nicht zuschanden werden, denn ich berge mich bei dir. (Ps 25,20)

Wenn wir verheiratet sind, ändert sich unsere Sichtweise. Wir gehen mit der Erwartung in die Ehe, dass unser Partner unsere Hoffnungen erfüllen und uns glücklich machen wird. Doch diesen Anforderungen kann unser Partner unmöglich gerecht werden. Unrealistische Erwartungen führen zu Enttäuschungen. Je höher deine Erwartungen sind, desto wahrscheinlicher wirst du von deinem Partner enttäuscht werden und letztendlich frustriert sein.

Wenn eine Frau von ihrem Ehemann erwartet, dass er immer pünktlich ist, alles aufgeräumt hinterlässt und alle ihre Bedürfnisse versteht, wird sie wahrscheinlich die überwiegende Zeit ihrer Ehe enttäuscht sein. Doch wenn sie Abstriche macht und einsieht, dass er kein Übermensch, vergesslich und manchmal auch gedankenlos ist, wird sie umso erfreuter sein, wenn er verantwortungsbewusst, liebevoll und freundlich handelt.

Wenn Eheleute sich nicht gegenseitig zugestehen, dass sie „menschlich" sind, ist eine Scheidung unvermeidbar. Deshalb ist es erforderlich, dass du umdenkst. Du solltest dich entscheiden, dass du deine Beziehung nicht auf *Erwartungen*, sondern auf *Ermutigung* gründest. Wenn Gott nicht eingreift und du nicht anfängst deinen Partner liebevoll zu ermutigen, wird er sich in Zukunft wahrscheinlich genauso verhalten, wie schon in den letzten zehn Jahren. Ein Mensch, der liebt, konzentriert sich auf seine persönliche Verantwortung und darauf, wie er sich verbessern kann, anstatt Forderungen an andere zu stellen.

Jesus veranschaulichte diese Wahrheit, als er über den Menschen sprach, der den Splitter im Auge seines Bruders, aber nicht den Balken in seinem eigenen Auge sah.

„Oder wie wirst du zu deinem Bruder sagen: Erlaube, ich will den Splitter aus deinem Auge ziehen; und siehe, der Balken ist in deinem Auge? Heuchler, zieh zuerst den Balken aus deinem Auge! Und dann wirst du klar sehen, um den Splitter aus deines Bruders Auge zu ziehen“ (Mt 7,4-5).

Hat dein Partner das Gefühl, als würde er mit einem „Splitter-Kontrolleur“ zusammenleben? Ist dein Partner ständig angespannt, weil er Angst hat, deine Erwartungen nicht zu erfüllen? Würde dein Partner sagen, dass du ihm überwiegend das Gefühl von Missbilligung anstatt von Annahme vermittelst?

Vielleicht würdest du darauf antworten, dass das Problem nicht bei dir, sondern bei ihm liegt. Was kannst du dafür, wenn das Verhalten deines Partners tatsächlich in vielen Bereichen zu wünschen übrig lässt? Du bist der Meinung, dass ihr beide alles in eurer Macht Stehende tun müsst, damit eure Ehe funktioniert. Wenn dein Partner nicht möchte, dass du so kritisch bist, muss er einsehen, dass deine Einwände berechtigt sind. Du sagst zwar nicht, dass du perfekt bist, aber denkst, dass man ja wohl noch seine Meinung sagen darf – stimmt's?

Das Problem mit dieser Einstellung ist Folgendes: Nur wenig Menschen sind in der Lage, auf Kritik vollkommen sachlich zu reagieren. Wenn es offensichtlich ist, dass jemand mit dir unzufrieden ist – sei es, dass er dich damit direkt konfrontiert oder es dir durch sein Verhalten vermittelt – dann ist es schwer, dieses Missfallen nicht persönlich zu nehmen. Besonders in der Ehe.

Anders als bei jeder anderen Freundschaft habt ihr euch zu Beginn eurer Beziehung die allergrößte Mühe gegeben, einander zu gefallen. Damals war dein Partner von deiner Persönlichkeit total fasziniert. Du konntest nahezu nichts verkehrt machen. Euer gemeinsames Leben war so viel einfacher. Und auch wenn du nicht erwartet hast, dass es immer so bleibt, konntest du dir sicher nicht vorstellen, dass dein Partner so sündig sein könnte und einmal so mit dir umgehen würde. Du hast keinesfalls erwartet, dass du eines Tages das Gefühl haben würdest, dass der Mensch, der versprach, dich zu lieben, dich noch nicht einmal mehr mag.

Wenn dieser extreme Gegensatz tatsächlich Realität wird, ist deine natürliche Reaktion, dass du dich dagegen wehrst. In der Anfangsphase warst du möglicherweise noch eher geneigt zuzuhören und kleine Veränderungen vorzunehmen. Doch aufgrund der Missbilligung, die du im Laufe der Jahre durch deinen Partner erfahren hast, ziehst du dich zurück. Die Kritik veranlasst dich nicht, Dinge zu korrigieren; stattdessen willst du dich am liebsten noch weiter zurückziehen.

Liebe legt ein klügeres Verhalten an den Tag. Anstatt ihn in eine Position zu drängen, in der er rebelliert, lehrt Liebe dich, deinem Partner Raum zu geben, damit er sein kann, wie er ist. Selbst wenn du ein eher zielorientierter Mensch bist und hohe Ansprüche an dich selbst stellst, fordert die Liebe dich auf, deine Maßstäbe nicht auf deinen Partner zu projizieren. Du musst dir darüber im Klaren sein, dass eine Ehe eine Beziehung ist, die es zu genießen gilt. Sie ist eine von Gott erschaffene einzigartige Freundschaft, in der zwei unvollkommene Menschen miteinander leben – doch damit gehen sie in der Weise um, dass sie sich nicht gegenseitig entmutigen, sondern *ermutigen*.

In der Bibel heißt es: „Stärkt die schlaffen Hände und festigt die wankenden Knie" (Jes 35,3). „Macht also einander Mut und helft euch gegenseitig weiter ... Ermutigt die Ängstlichen. Helft den Schwachen und habt Geduld mit allen" (1 Thess 5,11+14 – Die Gute Nachricht).

Wünschst du dir nicht auch, dass eure Ehe ein Ort ist, an dem ihr ganz ihr selbst sein könnt – dass ihr euch in diesem sicheren Rahmen entwickeln und einander ermutigen könnt, selbst wenn ihr versagt? Dein Partner wünscht sich das ebenfalls und Liebe ermöglicht es ihm. Wenn dein Partner dir bereits mehr als einmal gesagt hat, dass er sich von dir herabgesetzt und abgelehnt fühlt, solltest du dir diese Worte zu Herzen nehmen. Entscheide dich, deine unrealistischen Erwartungen aufzugeben und der größte Ermutiger deines Partners zu werden. Dann wird der Mensch, der von Gott geschaffen wurde, wieder neue Zuversicht und Liebe für dich entwickeln.

Die heutige Herausforderung

Entferne das Gift der unrealistischen Erwartungen aus deinem Heim. Denke an einen Bereich, von dem dein Partner dir gesagt hat, dass du zu viel von ihm erwartest und entschuldige dich dafür, dass du dich ihm gegenüber so hart und fordernd verhalten hast. Versprich ihm, dass du dich bemühen wirst, ihn zu verstehen und versichere ihm, dass du ihn bedingungslos liebst.

__ Setze hier ein Häkchen, wenn du deine heutige Herausforderung bewältigt hast.

- Was sagt es über dich aus, wenn dein Partner nicht motiviert ist, deine hohen Erwartungen zu erfüllen? Wie kann man mit diesen Problemen besser umgehen?

Lasst uns aufeinander acht haben, um uns zur Liebe und zu guten Werken anzureizen.
(Hebr 10,24)

Tag 28

Liebe bringt Opfer

Er hat sein Leben für uns hingegeben. Auch wir sind schuldig unser Leben für die Brüder hinzugeben. (1 Joh 3,16 – FREI WIEDERGEGEBEN)

Das Leben kann hart sein. Wenn wir das sagen, meinen wir normalerweise, dass wir es in *unserem* Leben nicht leicht haben. Wir merken sofort, wenn *wir* schlecht behandelt werden. Wir sind leicht beleidigt, wenn *wir* uns benachteiligt oder unbeachtet fühlen. Wir bemerken sehr wohl, wenn unser Leben schwierig ist.

Doch allzu oft merken wir bei unserem Partner erst dann, dass sein Leben nicht einfach ist, wenn er anfängt, sich zu beklagen. Anstatt uns nun wirklich umgehend um ihn zu kümmern, denken wir vielleicht, dass er eine schlechte Einstellung hat. Wir nehmen den Schmerz und den Druck, unter dem *er* steht, nicht in der Weise wahr, wie wir es tun würden, wenn *wir* selbst diesem Druck und Schmerz ausgesetzt wären. Wenn wir uns beklagen, erwarten wir, dass uns jeder versteht und bedauert.

Das geschieht nicht, wenn Liebe in Aktion ist. Liebe muss durch die offensichtlichen Anzeichen, dass dein Partner Kummer hat, nicht erst wachgerüttelt werden. Liebe schreitet bereits zur Tat, bevor Sorgen und Schwierigkeiten uns überwältigen. Liebe erkennt, wenn sich Lasten anhäufen und schaltet sich ein, um zu helfen. Der Grund dafür ist folgender: wenn Liebe dich antreibt, wirst du deinem Partner gegenüber feinfühlig sein.

Liebe bringt Opfer. Sie wird dich so sehr auf die Bedürfnisse deines Partners einstellen, dass du häufig schon darauf reagierst, ohne dass er dich darum gebeten hat. Falls du die Probleme nicht vorzeitig erkennst und dein Partner dich darauf hinweisen muss, veranlasst die Liebe dich dazu, dich um den Kern des Problems zu kümmern.

Selbst wenn der Stress deines Partners sich auf die Weise entlädt, dass er dich persönlich anklagt, reagiert Liebe nicht abwehrend, sondern mit Barmherzigkeit. Liebe inspiriert dich, deine Bedürfnisse hintenanzustellen und dich um deinen Partner zu kümmern.

Das hat Jesus getan. „Er hat sein Leben für uns hingegeben", um uns zu zeigen, dass auch wir unser Leben für andere hingeben sollen. Er hat uns gelehrt, dass Liebe sich dadurch erweist, dass man die Bedürfnisse anderer erkennt und dann alles tut, um sie zu erfüllen. „Denn mich hungerte, und ihr gabt mir zu essen; mich dürstete, und ihr gabt mir zu trinken; ich war Fremdling, und ihr nahmt mich auf; nackt, und ihr bekleidetet mich; ich war krank, und ihr besuchtet mich; ich war im Gefängnis, und ihr kamt zu mir" (Mt 25,35-36).

Auf diese unterschiedlichen Bedürfnisse solltest du auch bei deinem Partner achten. Anstatt verärgert herumzusitzen, weil dein Partner dich nicht so behandelt, wie er es deiner Meinung nach tun sollte, lass zu, dass Liebe dich aus deinem Selbstmitleid herausholt und dein Augenmerk auf die Bedürfnisse deines Partners richtet.

Ist er „hungrig" – hat er vielleicht sogar dann sexuelle Bedürfnisse, wenn dir nicht danach zumute ist?

Ist sie „durstig" – sehnt sie sich danach, dass du ihr die Zeit und Aufmerksamkeit schenkst, die du anscheinend allen anderen gibst?

Fühlt er sich wie ein „Fremder" – ist er in seinem Beruf unsicher, sodass er sein Zuhause umso mehr als einen Zufluchtsort braucht?

Ist sie „nackt" – ist sie verängstigt oder beschämt, sodass sie sehnsüchtig den wärmenden Schutz deiner liebevollen Bestätigung begehrt?

Fühlt er sich „krank" – ist er körperlich erschöpft? Braucht er jetzt deine Hilfe, damit er seiner Arbeit ohne Unterbrechung weiter nachkommen kann?

Hat sie das Gefühl, sie sei „gefangen" – ist sie ängstlich und bedrückt? Braucht sie dich jetzt, damit du ihr Sicherheit gibst und Dinge für sie in die Hand nimmst?

Wenn Liebe dich bewegt, bist du bereit Opfer zu bringen, damit du dich voll und ganz um die Bedürfnisse deines Partners kümmern kannst. Wenn dein Partner überfordert ist und unter Druck steht, fordert Liebe dich auf, Dinge hintenanzustellen. Selbst solche, die du persönlich für sehr wichtig hältst; damit du deinem Partner helfen kannst – und sei es lediglich, dass du dir Zeit nimmst zuzuhören.

Häufig muss dein Partner einfach nur einmal ausgiebig über die Situation sprechen. Er muss dir ansehen können, dass du dich wirklich dafür interessierst, was er gerade durchmacht, und dass du ihm unbedingt helfen willst. Für deinen Partner ist es wichtig, dass du mit ihm betest, um Lösungen zu finden und anschließend weiterverfolgst, wie die Dinge sich entwickeln.

Die Worte „Wie kann ich dir helfen?" sollten dir regelmäßig über die Lippen kommen.

Die Lösungen können für dich durchaus einfach umzusetzen sein, vielleicht sind sie aber auch vielschichtig und aufwendig, sodass Zeit, Energie und große Anstrengungen erforderlich sind. In jedem Fall solltest du tun, was du kannst, um die Bedürfnisse des Menschen zu erfüllen, der ein Teil von dir ist. Im Grunde genommen hilfst du nicht nur deinem Partner, sondern auch dir selbst. Das ist das Schöne daran, wenn du für deinen Partner Opfer bringst. Jesus brachte Opfer für uns. Er schenkt die Gnade, dass auch wir Opfer für andere bringen können.

Als die neutestamentlichen Gläubigen damit begannen, in Liebe zu wandeln, war ihr Zusammenleben davon geprägt, dass sie Opfer brachten und Dinge miteinander teilten. Es war ihnen ein Herzensanliegen, den Herrn anzubeten und seinem Volk zu dienen.

„Alle Gläubiggewordenen aber waren beisammen und hatten alles gemeinsam; und sie verkauften die Güter und die Habe und verteilten sie an alle, je nachdem einer bedürftig war" (Apg 2,44-45). Ein Jahrzehnt später schrieb Paulus an eine dieser Gemeinden: „Ich will aber sehr gern (alles) aufwenden und mich aufopfern für eure Seelen" (2 Kor 12,15). Menschen, die durch das Opfer Jesu von den Toten auferweckt wurden, sollten bereit und gewillt sein, täglich Opfer zu bringen, um die Bedürfnisse anderer zu erfüllen.

Die heutige Herausforderung

Welches ist gerade eines der stärksten Bedürfnisse deines Partners? Könntest du deinem Partner durch ein mutiges Opfer deinerseits eine Last von den Schultern nehmen? Ob es sich nun um eine grosse oder um eine kleine Not handelt, nimm dir vor, dass du alles in deiner Macht Stehende tun wirst, um deinem Partner zu helfen.

__ Setze hier ein Häkchen, wenn du deine heutige Herausforderung bewältigt hast.

- Inwieweit hängt die Belastung, die dein Partner empfindet, damit zusammen, dass du zu wenig Aufmerksamkeit und Entschlusskraft zeigst? Wie hat dein Partner reagiert, als du ihm deine Hilfe angeboten hast? Gibt es weitere Bedürfnisse, die du erfüllen könntest?

Einer trage des anderen Lasten, und so werdet ihr das Gesetz des Christus erfüllen. (Gal 6,2)

Tag 29

Motiviert durch Gottes Liebe

Dient mit Gutwilligkeit als dem Herrn *und nicht den Menschen!* (Eph 6,7)

Du hast bestimmt schon gemerkt, dass dein Partner dich nicht ständig motivieren wird, ihn zu lieben. Er wird dich sogar häufig *demotivieren.* Häufiger als dir lieb ist, wirst du keine Motivation empfinden, deine Liebe zu zeigen. Dein Partner wird deine Liebe vielleicht noch nicht einmal annehmen, wenn du dich bemühst, sie auszudrücken. Das ist einfach der Lauf der Dinge – selbst in relativ gesunden Ehen.

Wenngleich Gemütslagen und Emotionen alle möglichen Angriffsflächen kreieren können, gibt es doch eine Grundlage, die sich niemals verändert. Wenn Gott die Quelle deiner Liebe ist, wirst du mit Sicherheit immer lieben können, und zwar aus folgendem Grund: Die Liebe kommt von ihm.

Stell es dir einmal folgendermaßen vor: Als du noch ein Kind warst, hatten deine Eltern sicherlich bestimmte Regeln aufgestellt, an die du dich zu halten hattest. Du musstest zu einer bestimmten Zeit zu Bett gehen. Du musstest dein Zimmer sauber halten. Bevor du zum Spielen durftest, musstest du deine Hausaufgaben erledigen. Wenn du dich nicht von den meisten anderen Menschen unterscheidest, hast du gegen diese Regeln ebenso häufig verstoßen, wie du sie gehalten hast. Möglicherweise hättest du dich überhaupt nicht an diese Regeln gehalten, wenn dein Fehlverhalten keine Konsequenzen nach sich gezogen hätte.

Doch wenn du zu Christus gefunden hast oder in biblischen Wahrheiten unterrichtet wurdest, bist du mit diesem Gedanken konfrontiert worden: „Ihr Kinder, gehorcht euren Eltern in allem! Denn dies ist wohlgefällig im Herrn" (Kol 3,20). Falls du dir das zu Herzen nahmst, wusstest du, dass du dich nicht mehr nur gegenüber deinen Eltern verantworten musst.

Es ging jetzt nicht mehr um Machtproben zwischen dir und einer Autoritätsperson aus Fleisch und

Blut. Jetzt war es eine Angelegenheit zwischen dir und Gott. Deine Eltern waren lediglich die Vermittler.

Doch die Beziehung zwischen Eltern und Kindern ist nicht der einzige Bereich, in dem Gott der Grund für deine Motivation sein sollte. Schau dir die folgenden Punkte an und denke darüber nach – wir sollten das Ziel haben, auch in diesen Bereichen ihm wohlgefällig zu leben:

Arbeit – „Was ihr auch tut, arbeitet von Herzen als dem Herrn und nicht den Menschen" (Kol 3,23).

Dienst – „Gehorcht in allem euren irdischen Herren, nicht in Augendienerei, als Menschengefällige, sondern in Einfalt des Herzens, den Herrn fürchtend!" (Kol 3,22).

Bei allem – Gebt euer Bestes bei allem „was ihr auch tut ... da ihr wisst, dass ihr vom Herrn als Vergeltung das Erbe empfangen werdet; ihr dient dem Herrn Christus" (Kol 3,23-24).

Ehe – „Ihr Frauen ordnet euch euren Männern unter, wie es sich im Herrn ziemt!" (Kol 3,18). „Ihr Männer, liebt eure Frauen!, wie auch der Christus die Gemeinde geliebt und sich selbst für sie hingegeben hat" (Eph 5,25).

Die Liebe, die in der Ehe von dir gefordert wird, ist nicht davon abhängig, ob dein Partner freundlich zu dir ist oder sich angemessen verhält. Die Liebe zwischen einem Mann und einer Frau sollte auf ein oberstes Ziel ausgerichtet sein: den Herrn in Ergebenheit und Aufrichtigkeit zu ehren. Die Tatsache, dass unser Liebling dadurch ebenfalls gesegnet wird, ist ein wunderbarer zusätzlicher Effekt.

Diese veränderte Sichtweise ist für einen Christen von grundlegender Bedeutung. Morgens mit dem Wissen aufzuwachen, dass Gott deine Quelle und dein Versorger ist – nicht nur für dich persönlich, sondern auch für deinen Partner – verschafft dir im Umgang mit deinem Partner eine völlig andere Ausgangsposition.

Jetzt entscheidet nicht mehr länger dieser unvollkommene Mensch darüber, wie viel Liebe du ihm erweist, sondern dein vollkommener Gott, der sogar einen fehlerhaften Menschen wie dich dazu gebrauchen kann, einem anderen Menschen liebevoll entgegenzukommen.

Ist es dir in letzter Zeit schwergefallen, mit deiner Frau zusammenzuleben? Wurde deine Geduld auf die Probe gestellt, weil sie so lange braucht, um über einen Streit hinwegzukommen? Kann sie es nicht einfach einmal abhaken? Reagiere nicht lieblos, nur weil sie anders denkt als du. Liebe sie „als dem Herrn“ (siehe Kol 3,23).

Hört dein Partner dir nicht mehr richtig zu? Spricht er wenig mit dir? Hat er kein Interesse, sich dir mitzuteilen, obwohl ihn offensichtlich irgendetwas beschäftigt? Verletzt es dich, dass er sich dir gegenüber so wenig öffnet? Zahle es ihm nicht heim, indem du doppelt so viel Gleichgültigkeit und Wortkargheit an den Tag legst. Liebe ihn trotzdem „als dem Herrn“.

Liebe aus Pflichtgefühl stößt sehr schnell an ihre Grenzen. Und wenn Liebe lediglich durch günstige Umstände motiviert wird, kann man sich nie sicher sein, ob sie dauerhaft Bestand haben wird. Nur die Liebe, die Gott als Opfer dargebracht wird – die Liebe, die man ihm aus Dankbarkeit für alles, was er getan hat, zurückgibt – wird selbst dann Bestand haben, wenn wir aus allen anderen Gründen für unsere Liebe keine Kraft mehr ziehen können.

Jene, die sich in ihrer Ehe mit Mittelmäßigkeit zufriedengeben, können ihre Liebe dem Zufall überlassen und das Beste hoffen. Doch wenn du entschlossen bist, deinem Partner das Höchstmaß an Liebe zukommen zu lassen, solltest du nach der Motivation streben, die dich dazu befähigt. Wenn deine Liebe vorrangig auf Gott ausgerichtet ist, kann sie sich in grenzenlosen Dimensionen entwickeln.

Die heutige Herausforderung

Bete für deinen Partner und für seine Bedürfnisse, ehe du ihn heute wiedersiehst. Dann sage zu ihm: „Ich liebe dich", und zwar auch dann, wenn es dir schwerfällt. Zeige ihm auf irgendeine Weise deutlich, dass du ihn liebst. Wende dich anschliessend im Gebet wieder an Gott und danke ihm für das Privileg, diesen besonderen Menschen lieben zu dürfen – bedingungslos, so wie er euch beide liebt.

__ Setze hier ein Häkchen, wenn du
deine heutige Herausforderung bewältigt hast.

- Wie wird dieser Motivationswechsel sich auf deine Beziehung und auf deine Reaktionen auswirken? Wozu veranlasst dich diese neue Sichtweise? Was wirst du aufgrund dieser Sichtweise von jetzt an nicht mehr tun?

Ich aber und mein Haus, wir wollen dem Herrn *dienen!* (Jos 24,15)

Tag 30

Liebe bewirkt Einheit

Heiliger Vater! Bewahre sie in deinem Namen, den du mir gegeben hast, dass sie eins seien wie wir! (Joh 17,11)

Zu den eindrucksvollsten Eigenschaften der Bibel gehört, wie die einzelnen Bücher durch bestimmte Themen von Anfang bis Ende miteinander verbunden sind. Obwohl sie über einen Zeitraum von 1.600 Jahren, von über 40 Schreibern, mit den unterschiedlichsten Hintergründen und Begabungen geschrieben wurde, wurde sie letztendlich von Gott souverän so verfasst, dass sie wie aus einem Guss ist. Gott spricht weiterhin durch sein Wort und er weicht dabei niemals von seiner Botschaft ab.

Einheit. Zusammengehörigkeit. Einssein.

Das sind die unerschütterlichen Markenzeichen unseres Gottes.

Seit Anbeginn der Zeit sehen wir, wie er in der Einheit der Dreieinigkeit wirkt – Vater, Sohn und Heiliger Geist. Gott den Vater, wie er die Himmel und die Erde erschuf. Den Geist, er „schwebte über dem Wasser" (1 Mose 1,2). Den Sohn, „der Ausstrahlung seiner Herrlichkeit und Abdruck seines Wesens ist" (Hebr 1,3), der ebenfalls an der Schöpfung beteiligt war, indem er die Welt in Existenz sprach. „Laßt uns Menschen machen nach unserem Bild, uns ähnlich" (1 Mose 1, 26 – Schlachter-Übers.).

Uns. Unserem.

Der Vater, der Sohn und der Heilige Geist bilden eine vollkommene Einheit – sie sind vollkommen eines Sinnes und sie verfolgen die gleichen Ziele.

Bei der Taufe Jesu sehen wir, dass der Geist wie eine Taube auf ihn herabkommt und der Vater verkündet: „Dieser ist mein geliebter Sohn, an dem ich Wohlgefallen gefunden habe" (Mt 3,17).

Später sagt Jesus: „Denn ich bin vom Himmel herabgekommen, nicht dass ich meinen Willen tue, sondern den Willen dessen, der mich gesandt hat"

(Joh 6,38). Er hat das Verlangen, die Gebete seiner Jünger zu beantworten, „damit der Vater verherrlicht werde im Sohn" (Joh 14,13). Er bittet den Vater, den Heiligen Geist zu senden. Jesus weiß, dass der Geist den Sohn, den er liebt, treu bezeugen wird, denn niemand außer dem Geist Gottes kennt die Gedanken Gottes (siehe 1 Kor 2,11).

Der Vater, der Sohn und der Heilige Geist sind in perfekter Einheit. Sie dienen einander, sie lieben einander und sie ehren einander. Obwohl sie gleichgestellt sind, freuen sie sich, wenn der andere gelobt wird. Obwohl sie sich unterscheiden, sind sie eins und untrennbar miteinander verbunden.

Und weil diese Beziehung so besonders ist – so charakteristisch für die unermessliche Größe und Herrlichkeit Gottes – hat er beschlossen, dass wir einen Aspekt davon erfahren sollen. In der einzigartigen Beziehung zwischen einem verheirateten Mann und seiner Frau verbinden sich zwei unterschiedliche Personen geistlich zu einem Fleisch (siehe 1 Mose 2,24). „Was nun Gott zusammengefügt hat, soll der Mensch nicht scheiden" (Mk 10,9).

Dieses Geheimnis ist sogar so überwältigend und die Liebe zwischen Eheleuten so vollkommen, dass Gott die Symbolik einer Ehe gebraucht, um seine Liebe für die Gemeinde zu erklären.

Die Gemeinde (die Braut) wird dann am meisten geehrt, wenn ihr Retter verehrt und gefeiert wird. Christus (der Bräutigam), der sich selbst für sie hingegeben hat, wird am meisten geehrt, wenn er sieht, dass die Gemeinde herrlich ist – ohne Flecken oder Runzel oder einem anderen Makel, sondern heilig und tadellos (siehe Eph 5,27). Christus und die Gemeinde lieben einander.

Das ist die Schönheit von Einheit.

Ehemann – Wie würde es sich auf deine Ehe auswirken, wenn du dich verpflichten würdest, deine Frau zu lieben, sie zu ehren und ihr in jedem Bereich zu dienen? Was würde geschehen, wenn du beschließen würdest, dass die Einheit mit dieser Frau jedes Opfer und jede Geste der Liebe deinerseits wert ist? Was würde sich in deinem Zuhause ändern, wenn du tagtäglich diese Haltung einnehmen würdest?

Ehefrau – Was würde geschehen, wenn du es dir zur Aufgabe machen würdest, alles in deiner Macht Stehende zu tun, um die Zweisamkeit mit deinem Mann zu fördern? Wie würde es sich auswirken, wenn du jede Bedrohung eurer Einheit wie Gift, Krebs, ja, wie einen Feind behandeln würdest, den du durch Liebe, Demut und Selbstlosigkeit ausschaltest? Wie würde deine Ehe sich entwickeln, wenn du nie mehr tolerieren würdest, dass eure Einheit zerrissen wird?

Die Einheit der Dreieinigkeit, die wir schon bei der Schöpfung gesehen haben und an der sich auch in der Zukunft nichts ändern wird, ist Beweis dafür, welche Macht das Einssein hat. Diese Einheit ist unzerbrechlich. Sie ist unendlich. Und es ist dieselbe geistliche Realität, die sich hinter deinem Zuhause und deiner postalischen Anschrift verbirgt. Obwohl sie in den Farben von Dienstplänen, Arztbesuchen und den Fahrten zum Lebensmittelgeschäft daherkommt, zieht sich Einheit wie ein roter Faden durch die Alltagserfahrungen deiner Ehe und gibt ihr eine Bestimmung, für die es sich lohnt, ein Leben lang zu kämpfen.

Deshalb liebe den Menschen, der ebenso Teil deines Leibes ist wie du selbst. Diene ihm, denn seine Bedürfnisse sind untrennbar mit deinen eigenen verbunden. Ehre ihn, denn wenn du ihn durch deine Liebe erhebst, wirst du in den Augen Gottes ebenfalls an Ansehen gewinnen.

Die heutige Herausforderung

Nimm dir einen Bereich vor, in dem es in deiner Ehe zu Entzweiung gekommen ist und betrachte dieses Problem als eine Gelegenheit, um zu beten. Bitte den Herrn, dass er dir jede falsche Herzenshaltung offenbart, die eine Bedrohung für die Einheit mit deinem Ehepartner darstellt. Bete, dass er deinem Partner die Dinge, die ihn betreffen, ebenfalls offenbart. Besprich diese Angelegenheit gegebenenfalls direkt mit deinem Partner und vertraue Gott, dass er euch Einheit schenkt.

__ Setze hier ein Häkchen, wenn du
deine heutige Herausforderung bewältigt hast.

- Hat der Herr dir etwas Neues gezeigt, das in diesem Bereich zu eurer Uneinigkeit beiträgt? Wie gehst du jetzt mit dieser Erkenntnis um? Welche Veränderung erhoffst du dir durch das Wirken Gottes bei deinem Partner?

Der Herr *ist unser* Gott, *der* Herr *allein!* (5 Mose 6,4)

Tag 31

Liebe und Ehe

Darum wird ein Mann seinen Vater und seine Mutter verlassen und seiner Frau anhängen, und sie werden zu einem Fleisch werden. (1 Mose 2,24)

Dieser Vers beschreibt Gottes ursprünglichen Plan, wie eine Ehe funktionieren sollte. Dazu gehört, dass es tatsächlich zu einem „Verlassen" und zu einem „Zusammenfügen" kommt. Bestehende Beziehungen verändern sich und eine ganz neue Beziehung wird begründet. Eine Ehe verändert alles.

Ehepaare, die sich diese Botschaft über das „Verlassen und Anhängen" nicht zu Herzen nehmen, werden schließlich die Folgen ernten – doch dann ist es häufig schwieriger, die Probleme so zu lösen, dass niemand verletzt wird.

„Verlassen" bedeutet, dass du ein natürliches Band brichst. Deine Eltern nehmen jetzt eine Beraterrolle ein, die du auch respektieren solltest, aber sie können dir nicht mehr länger sagen, was du zu tun hast. Manchmal tun sich Eltern damit schwer. Möglicherweise ist ein Elternteil noch nicht bereit, dich von seiner Kontrolle und seinen Erwartungen zu entbinden. Eltern kommen nicht immer ihrer Verantwortung nach; möglicherweise, weil eine ungesunde Bindung zum eigenen Kind besteht oder weil sie nicht damit klarkommen, dass das Nest leer ist. In so einem Fall muss das erwachsene Kind sich mutig zu diesem Schritt des Verlassens entscheiden. Doch sehr häufig wird dieser Schritt auf die falsche Weise getan.

Gibt es in eurer Ehe Probleme, weil das Band zu den Eltern nicht durchschnitten wurde? Kommt es durch deine Eltern oder die Eltern deines Partners zu Problemen – möglicherweise ist ihnen das selbst gar nicht bewusst? Was muss getan werden, um dieses Verhalten zu unterbinden, bevor es einen Keil zwischen dich und deinen Partner treibt?

Einheit in einer Ehe ist so wichtig, dass es gilt, sie um jeden Preis zu beschützen. Selbstverständlich ist mit „Verlassen" nicht gemeint, dass man alle früheren Kontakte aufgibt, aber es geht darum, dass der einzigartigen Einheit einer Ehe nichts im Wege steht. Nur in dieser Einheit kannst du dich in vollem Umfang zu dem Menschen entwickeln, der du aus Gottes Sicht sein sollst.

Wenn du zu sehr an deine Eltern gebunden bist, wird die eigenständige Identität eurer Ehe sich nicht voll entwickeln können. Du wirst ständig in irgendeiner Form zurückgehalten und eine Wurzel der Trennung wird fortlaufend neue Keime in eurer Beziehung aufsprießen lassen. Das wird erst dann aufhören, wenn du etwas dagegen unternimmst. Denn wenn du deine Eltern nicht wirklich „verlässt", kannst du deinem Partner nicht wirklich „anhängen", sodass eure Herzen miteinander verschmelzen – und das ist die Voraussetzung, um echte Einheit zu erfahren.

„Jemandem anhängen" beinhaltet auch den Gedanken, dass man einen Menschen, nachdem man ihm nachjagte, zu fassen bekommt und sich nun an ihn klammert – er wird sozusagen dein Zufluchtsort, bei dem du in Sicherheit bist. Dieser Mann ist jetzt in deinem neuen Heim der geistliche Leiter und er hat die Verantwortung, dich so zu lieben, „wie auch der Christus die Gemeinde geliebt und sich selbst für sie hingegeben hat" (Eph 5,25). Diese Frau ist jetzt eins mit dir und es ist ihre Aufgabe, dich, als ihren Ehemann, zu achten (siehe Eph 5,33).

Infolge dieses wesentlichen Prozesses seid ihr jetzt frei, um all das zu werden, was er meinte, als er euch zu einem Fleisch erklärte.

- Ihr seid jetzt imstande, *Entscheidungen* in Einheit zu treffen – selbst wenn ihr anfangs unterschiedlicher Meinung seid.
- Ihr seid jetzt imstande, euch über eure *Prioritäten* zu einigen – selbst wenn ihr extrem unterschiedliche Hintergründe habt.
- Ihr seid jetzt imstande, auch in sexueller Hinsicht zu einer Einheit zu gelangen – selbst wenn ihr aus der Zeit vor eurer Ehe noch Probleme mit bestimmten unreinen Erinnerungen habt.

Da Gott entschieden hat, euch durch die Ehe zu einem Fleisch zu machen, ist alles möglich.

Wenn das, was wir hier besprochen haben, nicht dem entspricht, was ihr gerade in eurer Beziehung erlebt, seid ihr kein Einzelfall – das trifft leider auf den Großteil der Ehen zu. Es ist nicht untypisch, dass Eheleute – sogar christliche Eheleute – Gottes Plan für die Ehe ignorieren, weil sie denken, sie wüssten es besser als er. Vielleicht hat sich 1. Mose 2, 24 gut und nobel angehört, als ihr euch das Eheversprechen gabt, doch dann empfandet ihr es als zu schwierig, euch nach diesem grundlegenden Prinzip zu richten. Doch ihr müsst alles daransetzen, damit dieses Prinzip wieder eure Richtschnur wird.

Es ist sehr schwierig, wenn das Streben nach Einheit nur von einem Partner ausgeht. Möglicherweise hat dein Partner überhaupt kein Interesse daran, die Einheit zurückzugewinnen, die ihr früher hattet. Selbst wenn er in dieser Hinsicht noch motiviert ist, stehen möglicherweise weitere Probleme zwischen euch, die noch längst nicht geklärt sind.

Doch wenn du weiterhin leidenschaftlich auf Einheit bedacht bist, wird eure Beziehung mit der Zeit zwangsläufig das „Ein-Fleisch-Design" widerspiegeln, weil es Teil der DNA eurer Beziehung ist. Du musst nicht danach suchen, weil es bereits da ist. Doch du musst diese Bestimmung ausleben, denn ansonsten ist nichts anderes als Uneinigkeit zu erwarten.

Hab den Mut, deine Eltern zu verlassen, deinem Partner anzuhängen und in Einheit zu wandeln.

Die heutige Herausforderung

Besteht ein Problem hinsichtlich des „Verlassens", weil du bisher nicht mutig genug warst, etwas dagegen zu unternehmen? Bekenne es noch heute deinem Partner und beschliesse, dass du dich darum kümmern wirst. Die Einheit in deiner Ehe hängt davon ab. Verpflichte dich deiner Frau und Gott gegenüber, dass deine Ehe für dich von grösserer Priorität sein wird, als jede andere menschliche Beziehung.

__ Setze hier ein Häkchen, wenn du
deine heutige Herausforderung bewältigt hast.

- Ist es dir schwergefallen, dieses Problem anzugehen? Wie hat es sich auf eure Beziehung ausgewirkt? Wie kannst du dich liebevoll darum kümmern, dass die Situation sich zum Guten wendet, falls das Problem mehr bei deinem Partner (und deinen Schwiegereltern) liegt?

Damit sie alle eins seien, wie du, Vater, in mir und ich in dir. (Joh 17,21)

Tag 32

Liebe erfüllt sexuelle Bedürfnisse

Der Mann leiste der Frau die eheliche Pflicht, ebenso aber auch die Frau dem Mann. (1 Kor 7,3)

Manche Menschen denken, dass die Bibel nichts Gutes zum Thema Sex zu sagen hätte – als ob es Gott um nichts anderes ginge, als uns zu sagen, wann und mit wem man keinen Sex haben sollte. Doch in Wirklichkeit hat die Bibel sehr viel über Sex und den Segen, den er für Eheleute bedeuten kann, zu sagen. Selbst die von Gott gesetzten Grenzen sind seine Art, um dafür zu sorgen, dass unsere sexuellen Erfahrungen ein wesentlich höheres Niveau haben als das, was uns durch das Fernsehen oder Filme vermittelt wird.

In einer christlichen Ehe sollte Romantik gedeihen können. Schließlich wurde sie von Gott erschaffen. All das ist Teil dessen, was wir feiern, wenn wir mit unserem Partner eins werden und doch gleichzeitig nach Reinheit und Heiligkeit streben. Er hat seine Freude an uns, wenn das geschieht.

Beispielsweise ist das Hohelied nicht bloß ein Bild der Leidenschaft Gottes für sein Volk, wie häufig fälschlicherweise angenommen wird, sondern eine wunderbare Liebesgeschichte. Im Hohelied wird der Geschlechtsakt zwischen Mann und Frau dichterisch sehr detailliert beschrieben und es wird deutlich, wie die Partner aufeinander reagieren. Es wird deutlich, dass Aufrichtigkeit und Verständnis in sexueller Hinsicht zu einem erfüllten Liebesleben führen.

Es ist richtig, dass Sex nur ein Aspekt einer Ehe ist. Doch mit der Zeit wird Sex wahrscheinlich für einen der Partner einen höheren Stellenwert haben, als für den anderen. Infolgedessen werdet ihr eure Einheit als Mann und Frau gefährdet sehen.

Noch einmal: Die biblischen Grundlagen für eine Ehe wurden formuliert, als Adam und Eva erschaffen wurden. Die Frau wurde erschaffen, damit sie ihrem Mann eine Hilfe ist, die ihm entspricht (siehe 1 Mose 2,18). Ihre Beziehung, auch in körperlicher Hinsicht, war so intensiv, dass es heißt, dass sie zu einem Fleisch wurden (siehe 1 Mose 2,24).

Dieselbe Einheit ist das Kennzeichen jeder Ehe. Als Ausdruck unserer Liebe verbinden sich unsere Herzen während des Geschlechtsakts auf einzigartige Weise – keine sonstige Form der Kommunikation kann sich damit messen. Aus diesem Grund soll das Ehebett unbefleckt sein (siehe Hebr 13,4). Diese Erfahrung dürfen wir mit keinem anderen Menschen teilen.

Doch wir sind schwach. Wenn nun dieses legitime Bedürfnis nicht erfüllt wird – beispielsweise wenn ein Partner es als egoistisch oder fordernd empfindet – sind wir geneigt, uns aus unserer Ehe zurückzuziehen und versuchen, dieses Verlangen auf irgendeine Weise woanders zu befriedigen.

Gott hat der Ehe eine „Ein-Fleisch-Mentalität" zugrunde gelegt, um dieser Tendenz entgegenzuwirken. „Die Frau verfügt nicht über ihren eigenen Leib, sondern der Mann; ebenso aber verfügt auch der Mann nicht über seinen eigenen Leib, sondern die Frau" (1 Kor 7,4).

Sex darf nicht als Druckmittel eingesetzt werden. Gott lässt nicht zu, dass wir uns verweigern, ohne dass es Konsequenzen hätte. Wenngleich es hinsichtlich dieser gottgegebenen Rahmenbedingungen zweifellos zu Missbrauch kommen kann, ist das Herzstück einer Ehe, dass wir uns einander hingeben, um die Bedürfnisse des Partners zu erfüllen.

Sex ist eine gottgegebene Möglichkeit, um das zu tun.

Deshalb heißt es in der Bibel warnend: „Entzieht euch einander nicht, es sei denn nach Übereinkunft eine Zeit lang, damit ihr euch dem Gebet widmet und dann wieder zusammen seid, damit der Satan euch nicht versuche, weil ihr euch nicht enthalten könnt" (1 Kor 7,5).

Du bist die Person, die von Gott berufen ist, um die sexuellen Bedürfnisse deines Partners zu erfüllen. Wenn du zulässt, dass ihr euch in diesem Bereich voneinander entfernt oder dass er eintönig und schal wird, nimmst du deinem Partner etwas, das rechtmäßig (und ausschließlich) ihm gehört. Wenn du deinem Partner zu verstehen gibst – durch Worte, Taten oder Tatenlosigkeit – dass nicht mehr Sex nötig ist, als du willst, beraubst du ihn einer gewissen Ehre und Zärtlichkeit, der ein biblisches Mandat zugrunde liegt. Du verletzt die „Ein-Fleisch-Einheit" der Ehe.

Ob du dich nun zu jenen zählst, die beraubt sind oder zugibst, dass du derjenige bist, der seinen Partner beraubt, sollst du wissen, dass Gottes Plan für dich darin besteht, dass ihr euch in der Mitte trefft und euch einigt. Sei dir aber auch darüber im Klaren, dass dieses Ziel nicht erreicht wird, wenn du schmollst, streitlustig oder fordernd bist. Die einzige Grundlage, auf der liebevolle körperliche Gemeinschaft wiederhergestellt werden kann, ist Liebe. All die Dinge, die in diesem Buch angesprochen werden – Geduld, Freundlichkeit, Selbstlosigkeit, Aufmerksamkeit, Schutz, Wertschätzung, Vergebung – spielen hinsichtlich der Erneuerung eures Sexlebens eine Rolle. Wenn die Liebe Christi die Grundlage eurer Ehe ist, könnt ihr euch an eurer Freundschaft und an eurer sexuellen Beziehung in einem Maß erfreuen, wie es ohne diese Grundlage in dieser Welt niemals möglich ist.

Gott verkündete: „Ihr seid um einen Preis erkauft worden" (1 Kor 6,20). Er erwies dir seine Liebe und tat alles, um in dir ein Verlangen nach ihm zu wecken. Jetzt bist du an der Reihe, alles zu tun, um das Herz deines Partners zu gewinnen. Wenn du das tust und deine Beweggründe stimmen, wirst du erleben, dass Sex das reinste Vergnügen ist. Und als ob das nicht schon genug wäre, hast du darüber hinaus noch die Gelegenheit, Gott mit deinem Leib zu verherrlichen (siehe 1 Kor 6,20). Wie wunderbar!

Die heutige Herausforderung

Wenn irgend möglich, versuche heute mit deinem Partner zu schlafen. Berücksichtige, was dein Partner dir über seine Bedürfnisse gesagt (oder dir gegenüber angedeutet) hat. Bitte Gott, dass es für euch beide eine gute Erfahrung wird und ihr euch wirklich näherkommt.

__ Setze hier ein Häkchen, wenn du
deine heutige Herausforderung bewältigt hast.

- War diese Erfahrung für jeden von euch befriedigend? Was meinst du, woran es gelegen hat, falls deine Erwartungen nicht erfüllt wurden? Hast du darüber gebetet? Was kannst du aus dieser Erfahrung für die Zukunft lernen, falls sie für euch beide ein echter Segen war?

Wie schön bist du, und wie lieblich bist du, Liebe voller Wonnen! (Hld 7,7)

Tag 33

Liebe vervollständigt den anderen

Auch wenn zwei beieinander liegen, so wird ihnen warm. Dem Einzelnen aber, wie soll ihm warm werden? (Pred 2,11)

Gott erschafft eine Ehe, indem er einen Mann und eine Frau zusammenbringt und sie zu einer Einheit verbindet. Obwohl die Liebe auch bereit sein muss, auf eigene Faust zu handeln, wenn es nötig ist, ist es immer besser, wenn sie etwas nicht im Alleingang anpackt. Wenn es keine andere Möglichkeit gibt, kann Liebe auch eigenständig funktionieren, aber es gibt einen wesentlich besseren Weg (siehe 1 Kor 12,31). Ein Mensch, der liebt, hört nicht auf zu lieben, ehe er in dieser Dimension angekommen ist.

Der Aspekt, dass Liebe vervollständigt, wurde der Menschheit von Anfang an offenbart. Gott schuf den Menschen als Mann und Frau – zwei Geschöpfe, die einander ähnlich sind und dazu bestimmt sind, sich harmonisch zu ergänzen.

Unsere Körper sind füreinander gemacht. Aufgrund unserer unterschiedlichen Natur und unseres unterschiedlichen Temperaments finden wir zu einer Ausgewogenheit – außerdem sind wir dadurch in der Lage, anstehende Aufgaben besser zu bewältigen. Aus unserer Einheit können Kinder hervorgehen. Wir können sie am besten gemeinsam erziehen, sodass sie zu gesunden und verantwortungsbewussten Persönlichkeiten heranreifen. Wo der eine schwach ist, ist der andere stark. Wenn einer Ermutigung braucht, ist der andere zur Stelle. Durch die Anteilnahme des anderen wird Freude multipliziert und Leid geteilt.

In der Bibel heißt es: „Zwei sind besser daran als ein Einzelner, weil sie einen guten Lohn für ihre Mühe haben. Denn wenn sie fallen, so richtet der eine seinen Gefährten auf. Wehe aber dem Einzelnen, der fällt, ohne dass ein Zweiter da ist, ihn aufzurichten!“ (Pred 4,9-10). Es ist wie mit deinen beiden Händen – sie existieren nicht nur nebeneinander, sondern die eine Hand verstärkt die Effektivität der anderen. Um ihr Potenzial ausschöpfen zu können, müssen sie zusammenwirken – keine von beiden ist ohne die andere absolut vollständig.

Obwohl unsere Unterschiedlichkeit häufig Anlass für Missverständnisse und Konflikte ist, hat Gott uns so geschaffen. Diese Unterschiedlichkeit kann für uns zum dauerhaften Segen werden, wenn wir sie respektieren.

Beispiele: Vielleicht kann einer von euch beiden besser kochen und der andere erledigt den Abwasch mit mehr Sorgfalt. Vielleicht ist einer einfühlsamer und somit eher in der Lage, für Frieden unter den Familienmitgliedern zu sorgen – und der andere kann Probleme direkter und effektiver ansprechen. Vielleicht hat der eine einen guten Geschäftssinn, aber er braucht den anderen, um ihn daran zu erinnern, dass er großzügig sein soll.

Wenn wir lernen, die Unterschiedlichkeit unseres Partners zu akzeptieren, können wir Kritik vermeiden und uns stattdessen gegenseitig helfen und wertschätzen.

Doch einige scheinen sich mit der Unterschiedlichkeit ihres Partners nicht abfinden zu können. Infolgedessen verpassen sie viele gute Gelegenheiten. Sie machen sich die Unterschiedlichkeit ihres Partners nicht zunutze, denn sie wären wesentlich effektiver, wenn sie ihn mit einbeziehen würden.

In der Bibel finden wir dafür ein passendes Beispiel in Pontius Pilatus, dem römischen Statthalter, der bei der Verurteilung von Jesus den Vorsitz hatte. Unwissend darüber, wer Jesus war und wider besseren Wissens, ließ er sich von der Volksmenge dazu hinreißen, Jesus kreuzigen zu lassen.

Doch die Person, die für das, was hier tatsächlich vor sich ging, empfindsamer war als er, war seine Frau. Als der Tumult auf dem Höhepunkt war, ließ ihm seine Frau eine Warnung zukommen – sie wollte ihn davor bewahren, einen Fehler zu begehen: „Habe du nichts zu schaffen mit jenem Gerechten! Denn im Traum habe ich heute um seinetwillen viel gelitten“ (Mt 27,19).

Offensichtlich besaß diese Frau ein scharfes Urteilsvermögen, denn sie begriff die Bedeutung der Ereignisse schneller als ihr Mann. Natürlich handelte Gott in seiner Souveränität und nichts hätte seinen Sohn davon abhalten können, sich im Gehorsam für uns kreuzigen zu lassen. Aber die Tatsache, dass Pilatus nicht auf die Ahnung seiner Frau einging, offenbart in der Natur des Mannes eine unglückselige Eigenschaft, die oft heruntergespielt wird. Gott schuf die Frau, damit sie ihren Mann vervollständigt und schenkte ihr Einsichten, die den Männern häufig verborgen sind. Wenn ein Mann diese Einsichten für seine Entscheidungen nicht berücksichtigt, kann das zu seinem Nachteil sein.

Die Effektivität eurer Ehe ist davon abhängig, dass ihr zusammenarbeitet. Musst du hinsichtlich eurer Finanzen oder eurer Altersversorgung wichtige Entscheidungen treffen? Denkst du über geeignete Maßnahmen nach, weil du ein Problem mit einem Arbeitskollegen hast und die Situation sich Tag für Tag weiter zuspitzt? Bist du in der Erziehung eurer Kinder absolut sicher, selbst wenn dein Partner anderer Meinung ist?

Versuche nicht, das alles allein zu beurteilen. Übergehe nicht deinen Partner, der das Recht hat, zu Angelegenheiten, die euch beide betreffen, seine Meinung zu äußern. Liebe realisiert, dass Gott euch zusammengebracht hat. Du solltest die Sichtweise deines Partners selbst dann ernst nehmen und darüber nachdenken, wenn du anderer Meinung bist. So ehrst du Gottes Konzept für eure Ehe und du schützt die Einheit, zu der er euch berufen hat.

Vereint seid ihr stärker als allein. Ihr braucht einander. Ihr vervollständigt einander.

Die heutige Herausforderung

Mach dir bewusst, dass dein Partner bei deinem zukünftigen Erfolg eine wesentliche Rolle spielt. Sage ihm heute noch, dass du ihn bei anstehenden Entscheidungen mit einbeziehen wirst, dass dir seine Meinung wichtig ist und dass du seinen Rat brauchst. Gib zu, dass du einen Fehler gemacht hast und bitte deinen Partner um Vergebung, falls du ihn in der Vergangenheit nicht mit einbezogen hast.

__ Setze hier ein Häkchen, wenn du deine heutige Herausforderung bewältigt hast.

- Welche Entscheidungen stehen an, die ihr jetzt gemeinsam treffen könnt? Was hast du heute über deinen Partner gelernt?

Zieht die Liebe an, die das vollkommene Band der Einheit ist.
(*Kol 3,14* – entsprechend der New American Standard Bible, frei wiedergegeben.)

Tag 34

Liebe freut sich über ein gottgefälliges Leben

Liebe freut sich nicht über die Ungerechtigkeit;
sondern sie freut sich mit der Wahrheit. (1 Kor 13,6)

Von dem Moment an, wenn du morgens deine Bibel aus der Hand legst, wird dich nahezu alles, was du an diesem Tag erleben wirst, von den gelesenen Wahrheiten weglocken. Die Meinungen deiner Arbeitskollegen, die Nachrichten im Fernsehen, die Webseiten, die du besuchst, die täglichen Versuchungen – das alles wirkt massiv auf dich ein, um deine Wahrnehmung über das, was wahr und im Leben wünschenswert ist, zu prägen.

Es wird behauptet, dass es etwas Gutes sei, wenn deine Frau sich aufreizend anzieht, um andere Männer auf sich aufmerksam zu machen. Es wird behauptet, dass die ordinäre Sprache und die Unmoral in Filmen für Erwachsene in Ordnung seien. Es wird behauptet, dass Kirche für die Menschen nicht wichtig sei. Es wird behauptet, dass jeder Mensch Gott auf seine Weise finden müsse.

Die Menschen sagen viele Dinge – und zwar so laut und häufig, dass wir aufpassen müssen, dass wir ihre Sichtweise nicht ungeprüft übernehmen. Das kann dazu führen, dass wir anfangen, die Werte und die Denkweise der Allgemeinheit zu übernehmen.

Doch unser Verständnis darüber, was „wirkliches Leben" bedeutet, ändert sich drastisch, wenn wir erkennen, dass das Wort Gottes in dieser Hinsicht die höchste Autorität ist. Es enthält nicht bloß Vorschläge, worauf es im Leben ankommen sollte, sondern Prinzipien, die die Dinge so beschreiben, wie sie in Wirklichkeit sind. Seine Ideale und Anweisungen sind der einzige Weg zu wahrem Segen, und wenn wir sehen, dass Menschen sie im Gehorsam gegenüber dem Herrn befolgen, sollte uns das Anlass zur Freude geben.

Was erfüllt dich an deinem Mann am meisten mit Stolz? Wenn er mit einem Pokal nach Hause kommt, den er bei einem Golfturnier seiner Firma gewonnen hat, oder wenn er vor dem Schlafengehen die Familie um sich versammelt, um gemeinsam zu beten und in der Bibel zu lesen?

Was begeistert dich bei deiner Frau am meisten? Wenn du sie dabei beobachtest, wie sie im Kinderzimmer eine neue Maltechnik ausprobiert oder wenn sie der Nachbarin vergibt, deren Hund ihr Blumenbeet verwüstet hat?

Du bist einer der einflussreichsten Menschen im Leben deines Partners. Hast du diesen Einfluss geltend gemacht? Hat dein Einfluss dazu geführt, dass dein Partner Gott ehrt oder Gott entehrt?

Liebe freut sich am meisten über die Dinge, die Gott wohlgefällig sind. Wenn dein Partner einen christlichen Charakter entwickelt, nach Reinheit strebt, eine gebende und dienende Haltung einnimmt und in eurem Heim geistliche Verantwortung übernimmt, dann sollen wir laut der Bibel hocherfreut sein. Das Wort „freut" in 1 Kor 13,6 könnte man im Zusammenhang dieses Satzes auch folgendermaßen umschreiben: Sei total begeistert darüber, dass jemand Gottes Wirken in seinem Leben zulässt und feuere diesen Menschen weiterhin an.

Der Apostel Paulus, der während des 1. Jahrhunderts an der Gründung von vielen Gemeinden beteiligt war und dort diente, schreibt in seinen Briefen darüber, wie sehr es ihn freute, wenn ihm berichtet wurde, dass Menschen in der Nachfolge Jesu treu waren und in ihrem Glauben wuchsen: „Wir müssen Gott allezeit für euch danken, Brüder, wie es angemessen ist, weil euer Glaube reichlich wächst und die Liebe zueinander bei jedem Einzelnen von euch allen zunimmt, so dass wir selbst uns euer rühmen in den Gemeinden Gottes wegen eures Ausharrens und Glaubens in allen euren Verfolgungen und Bedrängnissen, die ihr erduldet" (2 Thess 1,3-4).

Der Apostel Johannes, der Jesus sehr nahestand und einer der Hauptleiter der frühen Gemeinde wurde, schrieb einmal an seine Herde: „Eine größere Freude habe ich nicht als dies, dass ich höre, dass meine Kinder in der Wahrheit wandeln" (3 Joh 4).

Auch wir sollten begeistert sein, wenn unser Partner sich so verhält. Mehr, als wenn er bei seinem Einkauf Geld gespart hat. Mehr, als wenn er in seinem Beruf erfolgreich ist. Wenn wir mit dem Strom schwimmen, kann es sogar vorkommen, dass wir unseren Partner ermutigen zu sündigen und uns somit schuldig machen – vielleicht weil wir ihn in seinem Egoismus bestätigen oder sein kindisches Verhalten tolerieren.

Doch Liebe freut sich nicht über die Ungerechtigkeit (siehe 1 Kor 13,6) – weder bei uns selbst noch bei unserem Partner. Vielmehr freut sich Liebe mit der Wahrheit (siehe 1 Kor 13,6), so wie Paulus, als er an die Gemeinde in Rom schrieb: „Denn die Kunde von eurem Gehorsam ist zu allen gekommen. Daher freue ich mich euretwegen; ich will aber, dass ihr weise seid zum Guten, doch einfältig zum Bösen" (Röm 16,19).

Er wusste, dass sie nur dann Freude und Erfüllung finden würden, wenn sie der Gottesfurcht und einem Lebensstil der Reinheit und Treue nachjagten. Hinsichtlich Heiligkeit „weise" und hinsichtlich Sünde „einfältig" zu sein – auf unserem Lebensweg geistlich kompromisslos und hungrig bleiben – ist der Weg, der Gott wohlgefällig ist.

Was sollten wir unserem Partner mehr wünschen, als dass er das Beste erlebt, das Gott für ihn bereitet hat?

Freue dich für deinen Partner über jeden Erfolg, den er genießt. Doch hebe dir das größte Lob für Gelegenheiten auf, bei denen er Gott durch seine Anbetung und seinen Gehorsam ehrt.

Die heutige Herausforderung

Denke an ein Beispiel, bei dem dein Partner kürzlich in bemerkenswerter Weise einen christlichen Charakter gezeigt hat. Lobe ihn heute dafür.

__ Setze hier ein Häkchen, wenn du deine heutige Herausforderung bewältigt hast.

- Für welches Beispiel hast du dich entschieden? Auf welche Weise könntest du sonst noch das geistliche Wachstum deines Partners ehren? Wie kannst du ihn ermutigen, dass er in diesen Dingen beharrlich bleibt?

Ich will mit lauterem Herzen wandeln in meinem Hause. (Ps 101,2)

Tag 35

Liebe ist bereit Rechenschaft abzulegen

Pläne scheitern, wo keine Besprechung ist;
wo aber viele Ratgeber sind, kommt etwas zustande. (Spr 15,22)

Die mächtigen Mammutbäume können über 100 Meter hoch werden und sie trotzen den widrigsten Umständen. Ob sie nun vom Blitz getroffen werden, mächtigen Stürmen ausgesetzt sind oder um sie herum Waldbrände toben – sie halten das aus und werden durch diese Widrigkeiten sogar noch „stärker".

Ein Geheimnis für die Widerstandskraft dieses gewaltigen Baums liegt darin begründet, was unterhalb der Erdoberfläche vor sich geht. Sie unterscheiden sich von vielen anderen Bäumen dadurch, dass sich ihre Wurzeln mit denen der umliegenden Mammutbäume verzahnen. Jeder einzelne Baum profitiert von der Kraft der anderen Bäume.

Das Geheimnis des Mammutbaums ist ein Schlüssel für eine starke, gesunde Ehe. Wahrscheinlich wird eine Ehe eher auseinanderbrechen, wenn die Eheleute während schwieriger Zeiten mit ihren Problemen sich selbst überlassen sind. Jene, die sich sozusagen mit einem Netzwerk anderer starker Ehen verbinden, erhöhen ihre Chance, selbst schlimmste Stürme zu überstehen. Es ist so wichtig, dass Eheleute geistlichen Rat suchen – ebenso, dass sie gute Freundschaften und erfahrene Berater haben.

Jeder Mensch braucht im Laufe seines Lebens weisen Rat. Weise Menschen suchen ständig den Rat anderer und sie nehmen gerne Ratschläge an. Narren fragen niemals um Rat, und wenn ihnen jemand einen Rat erteilt, nehmen sie ihn nicht an.

In der Bibel wird dieser Punkt deutlich aufgezeigt: „Der Weg des Narren erscheint in seinen eigenen Augen recht, der Weise aber hört auf Rat" (Spr 12,15).

Weiser Rat ist vergleichbar mit einer Straßenkarte oder einem persönlichen Führer, wenn man auf einer langen, schwierigen Reise ist. Ein weiser Rat kann entscheidend dafür sein, ob eine Ehe erfolgreich bleibt oder letztendlich scheitert. Es ist entscheidend, dass ihr Eheleute zu euch nach Hause einladet, die eine gute Ehe führen, damit sie euch aufgrund ihres Erfahrungsschatzes Tipps geben können.

Warum solltet ihr Jahre eures Lebens dadurch verschwenden, dass ihr bestimmte Lektionen durch schmerzhafte Erfahrungen lernt, wenn ihr dieselben Wahrheiten in ein paar Stunden von anderen lernen könnt? Warum solltet ihr nicht über die Brücke gehen, die andere gebaut haben? Weisheit ist wertvoller als Gold. Sie nicht anzunehmen ist vergleichbar damit, wenn du dir unbezahlbar wertvolle Münzen durch die Lappen gehen ließest.

Gute Eheberater warnen dich, bevor du eine schlechte Entscheidung triffst. Sie ermutigen dich, wenn du drauf und dran bist aufzugeben. Sie feuern dich an, wenn du in deiner Ehe eine neue Ebene von Intimität erlebst.

Kannst du dich an ein älteres Ehepaar oder an eine(n) Freund(in) wenden, um dir Rat und Gebetsunterstützung zu holen – gibt es jemanden, dem du regelmäßig Einblick in dein Leben gewährst? (Männer sollten sich anlässlich dieser vertraulichen Beratungen an Männer und Frauen an Frauen wenden.) Gibt es jemanden, der Tacheles mit dir redet?

Sowohl du als auch dein Partner, ihr braucht solche Freunde und Berater, die regelmäßig für euch da sind. In der Bibel heißt es: „... ermuntert einander jeden Tag ... damit niemand von euch verhärtet werde durch Betrug der Sünde!“ (Hebr 3,13). Viel zu oft isolieren wir uns von anderen. Wenn wir nicht aufpassen, laufen wir sogar Gefahr, die Menschen zurückzuweisen, die uns am meisten lieben.

Du musst darauf achten, dich vor den Menschen zu schützen, die dich negativ beeinflussen. Jeder hat eine Meinung und manche Leute werden dich ermutigen, egoistisch zu handeln. Sie werden dir raten, deinen Partner zu verlassen, damit du fortan ein glückliches Leben führen kannst. Sei vorsichtig, wenn Menschen dir einen Rat geben, die selbst keine gute Ehe führen.

Wenn deine Ehe am seidenen Faden hängt oder ihr bereits auf eine Scheidung zusteuert, solltest du augenblicklich alles einstellen, was diesen

Prozess vorantreibt und dich sofort in Seelsorge begeben. Rufe noch heute bei einem Pastor, einem Seelsorger oder einer Beratungsstelle an. So unangenehm es auch sein mag, sich gegenüber einer fremden Person zu öffnen – deine Ehe ist jedes Opfer und jede Sekunde, die du investierst, wert. Selbst wenn deine Ehe einigermaßen stabil ist, brauchst du offene und ehrliche Ratgeber – Menschen, die frischen Wind in deine Ehe bringen können und dazu beitragen, dass sie sogar noch besser wird.

Anhand welcher Kriterien suchst du dir deinen Ratgeber aus? Du schaust nach einer Person, dessen Ehe für dich Vorbildcharakter hat. Du schaust nach einem Menschen, bei dem Christus an erster Stelle steht. Du schaust nach jemandem, dessen Leben nicht von seiner eigenen Meinung oder der Meinung anderer geprägt ist, sondern von dem unveränderlichen Wort Gottes. Meistens wird diese Person erfreut sein, dass du ihre Hilfe in Anspruch nehmen möchtest. Fange an zu beten, dass Gott dir diesen Menschen über den Weg schickt. Dann verabrede dich mit diesem Menschen und rede über die Situation.

Wenn du das nicht für besonders wichtig hältst, solltest du dich fragen, weshalb das so ist. Hast du etwas zu verbergen? Hast du Angst, dass du in Verlegenheit gebracht wirst? Bist du der Meinung, dass deine Ehe eine Ausnahme ist und keine Hilfe von außen benötigt? Ist die Vorstellung, in einen Fluss der positiven Beeinflussung einzutauchen, für dich nicht reizvoll? Sei nicht der Kapitän einer Ehe, die auf einen weiteren Eisberg zusteuert, indem du die Warnsignale um dich herum ignorierst und nicht die Hilfe in Anspruch nimmst, die eure Ehe vor dem Untergang bewahren könnte.

In der Bibel finden wir folgende wichtige Warnung: „Also wird nun jeder von uns für sich selbst Gott Rechenschaft geben“ (Röm 14,12). Diese Tatsache ist unveränderlich. Obwohl wir letztendlich selbst dafür verantwortlich sind, wie wir damit umgehen, können wir die Hilfe, die andere uns geben können, sicherlich gut vertragen. Vielleicht bedarf es lediglich des Einflusses von außen, damit deine Ehe nicht mehr nur mittelmäßig, sondern außergewöhnlich ist.

Die heutige Herausforderung

Suche dir einen „Eheberater“ – einen reifen Christen, der aufrichtig ist und liebevoll mit dir umgeht. Mach den ersten Schritt und vereinbare einen Termin, wenn du das Gefühl hast, dass Seelsorge erforderlich ist. Bitte Gott während dieses Prozesses, dass er dir Einsichten schenkt und dich bei deinen Entscheidungen leitet.

__ Setze hier ein Häkchen, wenn du
deine heutige Herausforderung bewältigt hast.

- Wen hast du ausgewählt? Warum hast du dich gerade für diesen Menschen entschieden? Was hoffst du, von dieser Person zu lernen?

Doch (kommt) Rettung durch viele Ratgeber. (Spr 11,14)

Tag 36

Liebe ist Gottes Wort

Eine Leuchte für meinen Fuß ist dein Wort, ein Licht für meinen Pfad.
(Ps 119,105)

Manche Menschen haben das Gefühl, dass die Bibel schwer zu verstehen ist. Sie empfinden sie als scheinbar unbezwingliche Herausforderung. Sie wissen nicht, wo oder wie sie anfangen sollen zu lesen. Doch als Christ bist du in deinem Bemühen, die wesentlichen Themen und die tiefe Bedeutung der Aussagen der Bibel zu verstehen, nicht allein. Der Heilige Geist, der seit deiner Errettung in deinem Herzen wohnt, wird dir die Wahrheit offenbaren. „Denn der Geist erforscht alles, auch die Tiefen Gottes“ (1 Kor 2,10). Weil das Licht Gottes in dir ist und dich erleuchtet, kannst du die Schrift jetzt lesen, aufnehmen, begreifen und danach leben.

Zuerst musst du dich jedoch entscheiden, es wirklich zu tun.

Lies in der Bibel. Falls du es dir nicht schon zur Gewohnheit gemacht hast, ist jetzt die Zeit, damit zu beginnen, dass du täglich einen Abschnitt in der Bibel liest. Optimal ist es, wenn du gemeinsam mit deinem Partner in der Bibel liest – vielleicht morgens oder vor dem Schlafengehen. Sei so, wie der Schreiber des Psalm 119: „Mit meinem ganzen Herzen habe ich dich gesucht ... In meinem Herzen habe ich dein Wort verwahrt, damit ich nicht gegen dich sündige“ (Ps 119,10+11).

Die Menschen, die sich darin üben, regelmäßig in der Bibel zu lesen, werden schnell feststellen, dass Gottes Gesetze „köstlicher sind als Gold, ja viel gediegenes Gold, und süßer als Honig und Wabenhonig“ (Ps 19,11).

Bleibe im Wort. Du hast recht. Die Aussagen der Bibel können sehr tiefsinnig und herausfordernd sein. Deshalb ist es wichtig, dass du zu einer Gemeinde gehörst, in der das Wort gelehrt und gepredigt wird. Wenn dir das Wort durch Predigten oder Bibelstunden erklärt wird, bekommst du eine umfassendere und ausgewogenere Sicht über das, was Gott durch sein Wort sagt. Außerdem triffst du andere Menschen, die auf der gleichen Reise sind und durch das Wort Gottes genährt werden wollen. „Du aber bleibe in dem, was du gelernt hast und wovon du überzeugt bist, da du weißt, von wem du gelernt hast“ (2 Tim 3,14).

Lebe das Wort. Die meisten Bücher wurden nur deshalb geschrieben, damit man sie liest und darüber nachdenkt. Doch die Bibel ist anders; sie ist ein lebendiges Buch. Sie ist lebendig, weil der Heilige Geist den Worten immer noch innewohnt. Sie ist lebendig, weil ihr Autor immer noch lebt – dadurch unterscheidet sie sich von den alten Schriften anderer Religionen. Sie lebt aber auch, weil sie ein Teil von dir wird – sie wird Teil deines Denkens und Teil deines Tuns. „Seid aber Täter des Wortes und nicht allein Hörer“ (Jak 1,22).

Jesus sprach über Menschen, die ihr Leben auf Sand bauen – sie verlassen sich auf ihren Verstand, ihre Vermutungen und auf ihr eigenes Urteilsvermögen. Doch wenn die Winde des Lebens anfangen zu wehen (und das werden sie), erweisen sich diese Fundamente aus Sand als eine Katastrophe. Vielleicht sind diese Häuser hell erleuchtet und sehen gut aus, aber sie sind eine tickende Zeitbombe. Letztendlich werden sie zusammenstürzen.

Doch Jesus sagte: „Jeder nun, der diese meine Worte hört und sie tut, den werde ich mit einem klugen Mann vergleichen, der sein Haus auf den Felsen baute; und der Platzregen fiel herab, und die Ströme kamen, und die Winde wehten und stürmten gegen jenes Haus; und es fiel nicht, denn es war auf den Felsen gegründet“ (Mt 7,24-25). Dein Haus ist sicher vor Zerstörung, wenn es auf dem Felsen von Gottes unveränderlichem Wort gebaut ist.

Der Grund dafür ist folgender: Gott hat für alles den richtigen Plan, und diese Pläne hat er in seinem Wort offenbart. Gott hat einen Plan, wie du mit deinem Geld umgehen sollst. Einen Plan, wie du deine Kinder erziehen sollst. Einen Plan, wie du mit deinem Körper umgehen sollst. Einen Plan, wie du mit deiner Zeit umgehen sollst. Einen Plan, wie du mit Konflikten umgehen sollst. Erweckt das nicht den Anschein, als ob dein Schöpfer ganz genau weiß, was du brauchst?

Falls du bisher noch nicht regelmäßig in der Bibel gelesen hast, wirst du erstaunt sein, wie schnell du anfangen wirst, anders zu denken und alles mehr aus einer Ewigkeitsperspektive zu sehen. Wenn du wirklich ernsthaft danach trachtest, dein Leben auf Gottes Weisheit zu gründen, wird er dir zeigen, wie du das, was du liest, in deinem Leben anwenden kannst. Es ist eine aufschlussreiche Reise, bei der du ständig neue Entdeckungen machen wirst.

Du wirst in jedem Lebensbereich, den du Gott unterstellst, stärker und mit der Zeit auch beständiger werden. Doch in den Bereichen, die du ihm vorenthältst, weil du versuchst, die Dinge selbst in die Hand zu nehmen, wirst du schwächer werden und letztendlich scheitern, wenn du in die Stürme des Lebens gerätst. Vielleicht handelt es sich dabei sogar um genau den Bereich, der den Niedergang deines Heims und deiner Ehe beschleunigt.

Kluge Ehepaare bauen ihr Haus auf den Felsen des Wortes Gottes. Sie haben gesehen, was passieren kann, wenn ihr Fundament auf Sand gebaut ist und wissen, wie es sich anfühlt, wenn es feucht wird und schließlich nachgibt. Deshalb musst du dich dafür entscheiden, dein Leben und deine Ehe auf den zuverlässigen Felsen der Bibel zu bauen – dann kannst du dich auf eine bessere Zukunft einstellen, ganz egal, wie schlimm die Stürme werden.

Die heutige Herausforderung

Lege dich fest, täglich in der Bibel zu lesen. Besorge dir ein Andachtsbuch oder ein anderes Hilfsmittel – etwas, das dir eine zusätzliche Orientierungshilfe sein kann. Finde heraus, ob dein Partner bereit ist, täglich mit dir gemeinsam in der Bibel zu lesen. Fange an, jeden Bereich deines Lebens der Autorität des Wortes zu unterstellen und baue dein Haus auf den Felsen.

__ Setze hier ein Häkchen, wenn du deine heutige Herausforderung bewältigt hast.

- In welchen Lebensbereichen brauchst du Gottes Ratschlag am dringendsten? In welchen Bereichen bist du deiner Meinung nach am ehesten in der Gefahr, zu versagen?
- Was soll Gott dir durch sein Wort zeigen? Betest du dafür?

Weitere Informationen, wie du dich mit der Bibel vertraut machen kannst, *findest du im Anhang III, S. 208*

Denn alles, was früher geschrieben ist, ist zu unserer Belehrung geschrieben. (Röm 15,4)

Tag 37

Liebe stimmt im Gebet überein

Wenn zwei von euch auf der Erde übereinkommen, irgendeine Sache zu erbitten, so wird sie ihnen werden von meinem Vater, der in den Himmeln ist.
(Mt 18,19)

Wenn dir jemand sagen würde, dass er mit nahezu einhundertprozentiger Sicherheit sagen könne, dass sich euer gemeinsames Leben erheblich verbessert, wenn ihr nur einen Punkt verändert, würdest du zumindest wissen wollen, worum es sich dabei handelt. Für viele geistlich gesinnte Eheleute ist dieser entscheidende Punkt das tägliche gemeinsame Gebet.

Das mag einem Menschen, der nicht viel von geistlichen Dingen hält, lächerlich vorkommen. Wenn man ihm dann noch sagte, dass gemeinsames Gebet ein Schlüsselelement für die Dauerhaftigkeit einer Ehe ist und auch zu mehr Erfüllung in sexueller Hinsicht führt, würde er denken, dass dies womöglich zu weit geht. Wenn Mann und Frau regelmäßig zusammen beten, wächst ihre Einheit – es entsteht eine intensive, starke Verbindung. Das gemeinsame Gebet innerhalb des heiligen Rahmens eurer Ehe vermag Wunder auf allen Ebenen eurer Beziehung zu bewirken.

Als ihr den Ehebund besiegelt habt, gab Gott dir ein Hochzeitsgeschenk – einen Gebetspartner für den Rest deines Lebens. Wenn du in einer bestimmten Entscheidung Weisheit brauchst, kannst du gemeinsam mit deinem Ehepartner Gott um die Antwort bitten. Wenn du ein Problem mit deinen Ängsten und Unsicherheiten hast, kann dein Partner dich bei der Hand nehmen und für dich in der Fürbitte eintreten. Wenn ihr euch gerade nicht besonders gut versteht und über eine bestimmte Auseinandersetzung oder einen Streitpunkt nicht hinwegkommt, kannst du eine Auszeit fordern. Du legst dann deine Waffen nieder und legst gemeinsam mit deinem Partner ein Notfallgebet ein. Das sollte deine automatische Reaktion sein, wenn du nicht weißt, was du tun sollst.

Es ist sehr schwierig, Groll gegen jemanden zu hegen, für den du betest. Es ist sehr schwierig, nicht nachzugeben, wenn du hörst, wie dein Partner inmitten einer angespannten Situation demütig zu Gott schreit und ihn um Gnade anfleht. Während des gemeinsamen Gebets werden zwei Menschen daran erinnert, dass Gott aus ihnen eins gemacht hat. Und unter dem Eindruck seiner verbindenden Gegenwart wird aus der Unstimmigkeit sogar noch etwas sehr Schönes.

Wenn du für deinen Partner betest, verändert sich deine Herzenshaltung – dein Partner wird dir wichtiger. Doch noch wichtiger ist die Tatsache, dass Gott Wohlgefallen daran hat, wenn ihr demütig seid und sein Angesicht gemeinsam sucht. Sein Segen fällt auf euch, wenn ihr im Gebet eins werdet.

Das Wort „übereinkommen", das Jesus gebrauchte, als er über die Kraft des gemeinsamen Gebets sprach, bedeutet auch „Harmonie". Wenn zwei verschiedene Noten nacheinander gespielt werden, klingen sie unterschiedlich. Sie sind sehr gegensätzlich. Spielt man sie jedoch gleichzeitig – übereinstimmend – können sie sich zu einem harmonischen Klang verbinden. Zusammen ergeben sie einen volleren Klang als allein.

Mit übereinstimmendem Gebet ist es ebenso, selbst wenn man gerade nicht einer Meinung ist. Durch Gebet besinnt ihr euch wieder auf das Wesentliche. Gebet bringt euch wieder auf eine gemeinsame Basis vor dem Vater. Inmitten einer Auseinandersetzung wird durch das Gebet die Harmonie wiederhergestellt.

Auch in der Gemeinde, die in der Bibel auch die Braut Christi genannt wird, können manchmal Konflikte vorherrschen. Es kann wegen der unterschiedlichsten Angelegenheiten zu Meinungsverschiedenheiten kommen. Die daraus resultierende Dissonanz kann dazu führen, dass die Gemeinde von ihrer Aufgabe abgebracht und der Fluss des Lobpreises und der Einheit unterbrochen wird. Manchmal erkennen Gemeindeleiter, was vor sich geht. Sie beenden die Auseinandersetzungen und rufen das Volk Gottes zum Gebet auf. Anstatt zuzulassen, dass noch mehr

Gefühle verletzt werden, suchen sie Einheit dadurch, dass die Menschen in ihren Herzen zu Gott umkehren und seine Hilfe erbitten.

Wir werden dieselbe Erfahrung in unserem Zuhause machen, wenn wir beten – selbst bei schwierigen Auseinandersetzungen. Bildlich gesprochen stoppt Gebet die Blutung. Es bringt die lauten Stimmen zum Schweigen. Es bewirkt, dass du realisierst, in wessen Gegenwart du dich befindest und dann wirst du innehalten.

Doch Gebet erfüllt nicht nur den Zweck, Streitereien zu beenden. Gebet ist weitaus mehr. Gebet ist ein Privileg, an dem man sich täglich erfreuen sollte. Du wirst die Abende anders verbringen, wenn du dir bewusst wirst, dass du vor dem Schlafengehen noch eine Gebetszeit hast. Selbst wenn ihr nur kurze gemeinsame Gebetszeiten habt, sind diese Zeiten doch regelmäßige Fixpunkte in eurem Alltag, die euch dabei helfen, Gott in jedem Bereich eures Lebens in den Mittelpunkt zu stellen.

Es stimmt, dass man sich anfangs möglicherweise unsicher und unbeholfen fühlt, wenn man sich wichtige Dinge, wie gemeinsames Gebet, zur Gewohnheit machen möchte. Immer wenn du etwas so Machtvolles umsetzen willst, wirst du überrascht sein, welches Gewicht und welche Verantwortung damit einhergehen. Bedenke, dass Gott mit dir Gemeinschaft haben möchte – genau genommen lädt er dich dazu ein. Er wird dich im Gebet erstarken lassen, wenn du diese Aufgabe ernst nimmst und die Zeiten überwindest, in denen du nicht weißt, was du sagen sollst.

Du wirst auf diesen roten Faden des Gebets zurückschauen, der sich durch alles hindurchzieht – angefangen bei den normalen Alltagserfahrungen bis hin zu wesentlichen Entscheidungen und wirst für dieses „eine Geschenk“, das alles veränderte, sehr dankbar sein. Es ist unbedingt erforderlich, dass du dich auf „gemeinsames Gebet“ einlässt.

Die heutige Herausforderung

Frage deinen Partner, ob ihr nicht damit beginnen könnt, regelmässig zusammen zu beten. Sprich mit ihm darüber, welche Zeit dafür am besten geeignet ist – ob morgens, um die Mittagszeit oder abends vor dem Schlafengehen. Nutzt diese Zeit, um dem Herrn eure Sorgen, eure Meinungsverschiedenheiten und Nöte anzubefehlen. Vergesst nicht, ihm für seine Versorgung und für seinen Segen zu danken. Beschliesse, dass du auch dann diese tägliche Gebetszeit einhalten wirst, wenn dein Partner sich nicht darauf einlässt.

__ Setze hier ein Häkchen, wenn du deine heutige Herausforderung bewältigt hast.

- Inwiefern kannst du deinem Partner helfen, dass er sich auf gemeinsame Gebetszeiten einlässt? Falls dein Partner einverstanden war – wie war es, zusammen zu beten? Was hast du daraus gelernt?

Weitere Schlüsselinformationen zum Thema „wirksames Gebet“ findest du im Anhang I, S. 202

Am Morgen möge dir mein Gebet begegnen. (Ps 88,14)

Tag 38

Liebe erfüllt Träume

Habe deine Lust am Herrn, so wird er dir geben, was dein Herz begehrt. (Ps 37,4)

Worüber würde sich dein Partner wirklich sehr, sehr freuen? Wie oft stellst du dir diese Frage?

Unser gesunder Menschenverstand sagt uns, dass wir unserem Partner nicht jeden Wunsch erfüllen können. Unser Finanzplan und unser Kontostand sagen uns, dass wir uns das wahrscheinlich sowieso nicht leisten könnten. Doch selbst wenn wir es könnten, denken wir, dass es uns vielleicht gar nicht guttäte – oder ihm.

Doch vielleicht hast du dieses Thema zu voreilig abgehakt. Möglicherweise hast du diese negative Standardeinstellung schon automatisch angenommen, weil sie dir nur logisch erscheint. Was würde geschehen, wenn du so einen großzügigen Gedanken nicht einfach abtun würdest, sondern dich darum bemühtest, ihn ernst zu nehmen? Was könnte geschehen, wenn du für deinen Partner das tun würdest, was er nie für möglich gehalten hätte?

Liebe muss manchmal verschwenderisch sein. Zuweilen muss sie ihr Äußerstes geben. Ein Mensch, der liebt, muss manchmal den formalen Rahmen sprengen und den anderen einfach aus dem Grund segnen, weil er es will.

Entspricht das zu sehr der Denkweise eines Teenagers? Steht diese Form der Liebe nach so vielen Ehejahren nicht mehr auf der Speisekarte? Wäre es nicht sogar unaufrichtig, wenn du in eurer aktuellen Ehesituation deinen Partner verwöhnen würdest – schließlich würdest du es ja nicht von Herzen tun?

Nun, wie wäre es, wenn du es *von Herzen* tun würdest? Warum begibst du dich nicht auf eine neue Ebene von Liebe, sodass du tatsächlich jeden Traum und *jeden* Wunsch erfüllst, wenn es dir irgendwie möglich ist?

Hat Gott dir nicht auch schon Herzenswünsche erfüllt, die früher für dich kein Thema waren? Du lebtest unter einer derartigen Last von Sünde und Kummer, dass du dachtest, du könntest es dir niemals verdienen, wieder unter seine Gnade zu kommen? Doch er schaute dich liebevoll an und sagte: „Das musst du dir nicht verdienen." Er wollte dich zurückhaben. Er wollte, dass dir bewusst wird, wie sehr du ihn brauchst; als du Buße getan und dich ihm zugewandt hast, neigte er sich dir in Liebe zu und vergab dir. „Gott aber, der reich ist an Barmherzigkeit, hat um seiner vielen Liebe willen, womit er uns geliebt hat, auch uns, die wir in den Vergehungen tot waren, mit dem Christus lebendig gemacht" (Eph 2,4-5).

Du dachtest, dein Leben sei vorüber, als ein bestimmter Rückschlag dir sämtlichen Wind aus den Segeln nahm. Du warst fix und fertig und hast zu ihm geschrien. Du hast gebetet, wie noch niemals zuvor. Obwohl es nicht einfach war, wieder auf die Beine zu kommen und weiterzugehen, hast du irgendwie überlebt. Er begegnete dir mit dem von ihm verheißenen Frieden, „der allen Verstand übersteigt" (Phil 4,7) und hielt dich aufrecht.

Gott hat sich nicht in dem Moment dafür entschieden, seine Liebe auf dich auszugießen, als du dich benahmst wie ein Engel. Er bot dir seine Gnade nicht deshalb an, weil du sie so sehr verdient hattest. „Gott aber erweist seine Liebe zu uns darin, dass Christus, als wir noch Sünder waren, für uns gestorben ist" (Röm 5,8).

Er ist dein Vorbild. Die Liebe in dir ist dazu bestimmt, ihn widerzuspiegeln. Obwohl es nicht sehr wahrscheinlich war, dass er gerade dich auswählen würde, um dir seine Liebe zu schenken, tat er es dennoch. Er bezahlte den Preis.

Nicht alles, was dein Partner sich wünscht, ist teuer. Viele Dinge, die dein Partner sich wünscht, können mit Geld nicht gekauft werden. Deine Frau wünscht sich vielleicht Zeit mit dir. Vielleicht möchte sie deine Aufmerksamkeit. Vielleicht möchte sie wie eine Dame behandelt werden und sehen, dass ihr Mann sie als seinen größten Schatz ansieht. Vielleicht will sie in deinen Augen sehen, dass du sie so sehr liebst, dass du immer für sie da sein wirst – ganz gleich, was geschieht.

Vielleicht wünscht sich dein Mann Respekt von dir. Vielleicht wünscht er sich, dass du ihn vor den Kindern als Haupt der Familie anerkennst. Vielleicht sehnt er sich danach, dass du ihn auch ohne einen bestimmten Anlass wie seinen Geburtstag oder euren Hochzeitstag, hin und wieder einfach in deine Arme ziehst oder ihn mit einem langen Kuss oder einem liebevollen Zettel überraschst. Vielleicht muss er wirklich wissen, dass du ihn immer noch für genauso stark und attraktiv hältst wie früher.

Träume und Wünsche gibt es in allen Variationen, doch Liebe nimmt jeden Einzelnen von ihnen wahr.

- Liebe fordert dich auf, deinem Partner genau zuzuhören und auf seine Wünsche zu achten.
- Liebe fordert dich auf, dich an die Dinge zu erinnern, die an eurer Beziehung einzigartig sind – die Dinge, die euch erfreuen und ein Lächeln auf euer Gesicht zaubern.
- Liebe fordert dich auf, dann zu geben, wenn es wesentlich bequemer wäre, damit noch zu warten.
- Liebe fordert dich auf, dir diese Gelegenheiten so regelmäßig auszumalen, dass die Wünsche deines Partners deine Wünsche werden.

Wir fordern dich heraus, so zu denken, dass du deinen Partner mit Liebe überwältigen wirst. Dass du ihn überraschst, indem du durch deine Güte alle seine Erwartungen übertriffst. Vielleicht ist das mit einem finanziellen Opfer verbunden, doch in jedem Fall sollte deutlich werden, dass du bereit bist, dich auf außergewöhnliche Weise mitzuteilen.

Worüber würde dein Partner sich wirklich sehr freuen?

Es ist Zeit, dass du damit beginnst, die Antwort auf diese Frage auszuleben.

Die heutige Herausforderung

Stell dir selbst die Frage, was dein Partner sich wünschen würde, wenn es möglich wäre, diesen Wunsch zu erfüllen. Bete dafür und fange an, einen Plan zu schmieden, wie du diesen Wunsch (falls nicht sogar sämtliche Wünsche) entsprechend deinen Möglichkeiten erfüllen kannst.

__ Setze hier ein Häkchen, wenn du deine heutige Herausforderung bewältigt hast.

- Woran lag es, dass du in der Vergangenheit die Wünsche deines Partners nicht erfüllt hast? Inwiefern würde sich eure Beziehung verändern, wenn dein Partner wüsste, dass seine Wünsche für dich Priorität haben? Welche Wünsche wirst du versuchen zu erfüllen?

Gott aber vermag euch jede Gnade überreichlich zu geben. (2 Kor 9,8)

TAG 39

Liebe bleibt bestehen

Die Liebe vergeht niemals. (1 Kor 13,8)

Von allen Eigenschaften der Liebe ist diese die Herausragendste. Wenn sie herausgefordert wird, lässt sie sich nicht beirren. Auch wenn man sie schlecht behandelt oder zurückweist, gibt sie nicht auf.

Die Liebe vergeht niemals.

Wenn eine Ehe sich in einer Krise befindet, ist es häufig so, dass derjenige, der sich um Problemlösungen bemüht, seinem Partner unmissverständlich zu verstehen gibt, dass er zu dieser Ehe stehen wird, und zwar ganz unabhängig davon, was in der Vergangenheit geschehen ist. Auf die Liebe eines solchen Menschen kann man zählen, sie wird nicht vergehen. Er gibt ein Versprechen. Doch der andere Partner will davon noch nichts wissen und beharrt auf seiner Position. Er will diese Ehe immer noch beenden. Er glaubt nicht, dass diese Ehe von Dauer sein wird und er will sie auch nicht mehr.

Der Partner, der sich verwundbar gemacht und seine Hand ausgestreckt hat, kommt mit dieser Abfuhr nicht zurecht. Also zieht er sein Angebot zurück. „Gut, wenn du es so haben willst, dann machen wir es so."

Doch wenn du aus wahrer Liebe handelst, gerätst du nicht ins Wanken, wenn auf deine Liebe nicht so reagiert wird, wie du es dir wünschst. Wenn man Liebe dazu bringen kann, nicht länger zu lieben, dann ist es keine echte Liebe. Die Liebe, die von Gott kommt, ist unendlich – sie lässt sich nicht aufhalten. Sie gibt auch dann, wenn die Person, auf die sie sich richtet, beschließt, sie nicht zu empfangen.

Die Liebe vergeht niemals.

Niemals.

So ist die Liebe von Jesus. Seine Jünger waren wirklich unberechenbar. Als Jesus ihnen nach dem letzten gemeinsamen Passahmahl sagte, dass sie ihn in jener Nacht alle verlassen würden, sagte Petrus: „Wenn sich alle an dir ärgern werden, ich werde mich niemals ärgern ... Selbst wenn ich mit dir sterben müsste, werde ich dich nicht verleugnen" (Mt 26,33+35). Die anderen Jünger gaben dasselbe Versprechen.

Doch als Jesus später an diesem Abend im Garten Gethsemane Qualen litt, schliefen die Jünger, die zu seinem inneren Kreis zählten – Petrus, Jakobus und Johannes. Noch bevor Christus gekreuzigt wurde, würde Petrus ihn dort im Innenhof dreimal verleugnen. Doch es heißt, dass Jesus sich genau in dem Moment umdrehte und Petrus anblickte (siehe Lk 22,61), als dieser ihn zum dritten Mal verleugnete. Seine Männer hatten ihn innerhalb von Stunden nach ihrem Versprechen enttäuscht – wieder einmal. Dennoch hörte er nicht auf, sie zu lieben, denn er und seine Liebe ändern sich nicht. „Jesus Christus ist derselbe gestern und heute und in Ewigkeit" (Hebr 13,8).

Möglicherweise wird deine Frau dich auch dann verlassen, wenn du alles in deiner Macht Stehende getan hast, um Gott zu gehorchen – ebenso, wie die Jünger Jesus verließen. Doch lass nicht zu, dass deine Ehe aus dem Grund scheitert und dein Partner dich verlässt, weil du aufgegeben oder aufgehört hast, deinen Partner zu lieben.

Die Liebe vergeht niemals.

Von den neun Früchten des Geistes, die in Galater, Kapitel 5 aufgelistet sind, wird als Erstes „Liebe" erwähnt. Weil nun der Heilige Geist die unveränderliche Quelle dieser Liebe ist – derselbe Heilige Geist, der im Herzen aller gläubigen Christen wohnt – ist auch die Liebe unveränderlich, die er in dir erzeugt. Sie gründet sich auf den *Willen* Gottes, die *Berufung* Gottes und das *Wort* Gottes – und diese Dinge werden sich niemals ändern. Die Bibel erklärt sie für unabänderlich (siehe Röm 11,29). „Der Himmel und die Erde werden vergehen, meine Worte aber werden nicht vergehen" (Lk 21,33).

Erst vor wenigen Tagen wurdest du herausgefordert, deine Ehe auf das Wort Gottes zu bauen. Der Grund dafür ist folgender: Die Wahrheit

Gottes wird auch dann bestehen bleiben, wenn alles andere versagt. Bisher wurdest du herausgefordert, geduldig und selbstlos zu sein sowie für die Bedürfnisse deines Partners Opfer zu bringen.

Hierbei handelt es sich nicht bloß um „nette“ Ideen, die in sich selbst existieren. Jede Eigenschaft von Liebe, die in diesem Buch beschrieben wird, gründet sich auf die Liebe Gottes, wie sie im Wort Gottes zum Ausdruck gebracht wird. Es wird niemals eine Herausforderung oder eine Situation geben, die Gott oder seine Liebe mit einem Verfallsdatum belegen könnte. Deshalb ist deine Liebe, die aus derselben Substanz geschaffen wurde, von denselben unveränderlichen Eigenschaften gekennzeichnet.

Die Liebe vergeht niemals.

Deine heutige Herausforderung besteht darin, dass du deine unerschöpfliche Liebe so überzeugend und persönlich in Worte fasst, wie es nur irgend geht. Das ist deine Gelegenheit, um auszudrücken, dass deine Liebe größer ist als alle Unzulänglichkeiten – sowohl bei dir als auch bei deinem Partner. Ganz egal was dein Partner wie oft getan hat – du entscheidest dich, ihn dennoch zu lieben. Für dich ist ein neuer Tag angebrochen, denn selbst wenn du deinem Partner über Jahre hinweg nicht immer liebevoll begegnet bist, hat diese Unbeständigkeit jetzt ein Ende. Du akzeptierst, dass dein Partner Gottes ganz besonderes Geschenk an dich ist und du versprichst, ihn bis zum Tod zu lieben.

Du sagst zu deinem Partner: „Ich habe mich entschieden dich zu lieben – selbst dann, wenn dir nicht gefällt, was du liest und auch dann, wenn du *mich* nicht magst. Für immer.“

Weil die Liebe niemals vergeht.

Die heutige Herausforderung

Nimm dir Zeit, um zu beten. Schreibe anschliessend einen Brief an deinen Partner und versichere ihm, dass du zu ihm stehst. Gehe darauf ein, weshalb du dieser Ehe bis zum Tod verpflichtet bist und mach deutlich, dass du deinen Partner immer lieben wirst – ganz egal, was geschieht. Lege den Brief dorthin, wo dein Partner ihn finden wird.

__ Setze hier ein Häkchen, wenn du deine heutige Herausforderung bewältigt hast.

- Welche Bedenken hattest du, diesen Brief zu schreiben? Was denkst du, wie dein Partner darauf reagieren wird? Wie hast du Gottes Hilfe beim Schreiben dieses Briefes erlebt und was hast du über dich selbst dabei gelernt?

Denn er hat Gefallen an Gnade. (Mi 7,18)

Tag 40

Liebe ist ein Bund

Denn wohin du gehst, dahin will auch ich gehen, und wo du bleibst, da bleibe auch ich. (Rut 1,16)

Herzlichen Glückwunsch! Du hast das Ende dieser Liebesherausforderung erreicht – du hast das Ende dieses Buches erreicht. Die Herausforderung, deinen Partner zu lieben und der damit einhergehende Lernprozess hören nie auf. Du wirst in diesem Bereich für den Rest deines Lebens dazulernen.

Dieses Buch endet zwar mit Tag 40, doch wer sagt, dass deine Herausforderung ebenfalls damit aufhören muss? Wir fordern dich heraus, deine Ehe von diesem Moment an nicht mehr als einen *Vertrag*, sondern als einen *Bund* anzusehen. Obwohl diese beiden Worte von ihrer Bedeutung her ähnlich zu sein scheinen, unterscheiden sie sich sehr voneinander. Wenn man eine Ehe als einen Vertrag ansieht, ist das so, als würde man sagen: „Ich nehme dich und wir werden sehen, ob es klappt." Doch wenn du realisierst, dass es sich um einen Bund handelt, wirst du sagen: „Ich gebe mich dir und ich verpflichte mich dieser Ehe für den Rest meines Lebens."

Zwischen einem Vertrag und einem Bund bestehen noch wesentlich mehr Unterschiede. Normalerweise ist ein *Vertrag* eine schriftliche Vereinbarung, die sich auf Misstrauen gründet, denn sie enthält Bedingungen und die Konsequenzen, die bei einem Vertragsbruch wirksam werden. Ein *Bund* beruht auf einer mündlichen Verpflichtung, die sich auf Vertrauen gründet – du versicherst einer Person, dass dein Versprechen bedingungslos ist und dass du dich dein Leben lang daran halten wirst. Ein *Bund wird* auf der Grundlage von Liebe vor Gott geschlossen.

Ein *Vertrag* wird geschlossen, um sich abzusichern; beispielsweise werden darin Haftungseinschränkungen geregelt – er dient eher eigennützigen Zwecken. Ein Vertrag ist meistens auf einen festgelegten Zeitrahmen begrenzt, in dem bestimmte Leistungen erbracht werden. Bei einem *Bund* geht es um das Wohl anderer – er enthält keine Haftungseinschränkungen. Ein *Bund* hat kein Verfallsdatum. Es gilt: „bis dass der Tod uns scheidet." Ein *Vertrag* kann im gegenseitigen Einvernehmen gekündigt werden. Ein *Bund* ist darauf angelegt, dass er nicht gebrochen werden kann.

Wenn wir die Geschichte des Volkes Gottes in der Bibel betrachten, entdecken wir mehrere wichtige Bündnisse. Gott schloss einen Bund mit Noah: Er gab die Verheißung, dass es nie wieder eine weltweite Flut geben würde, durch die alles Fleisch umkäme (siehe 1 Mose 9,11-17). Er schloss einen Bund mit Abraham: Er gab die Verheißung, dass aus seiner Nachkommenschaft eine ganze Nation entstehen würde (siehe 1 Mose 17,1-8). Er schloss einen Bund mit Mose: Gott erklärte, dass das Volk Israel Gottes ewiges Besitztum ist (siehe 2 Mose 19,3-6). Er schloss einen Bund mit David: Er gab die Verheißung, dass ein Herrscher den Thron Davids für immer einnehmen würde. Er schloss durch das Blut Jesu einen „neuen Bund". Durch diesen Bund schenkt er allen, die an ihn glauben, die Vergebung der Sünden und ewiges Leben (siehe Hebr 9,15). Gott hat keines dieser Bündnisse jemals gebrochen.

Die Ehe ist der stärkste Bund, den hier auf Erden zwei Menschen schließen können – ein Mann und eine Frau geben sich das Versprechen, einander bis an das Ende ihrer Tage bedingungslos zu lieben. Dein Ehering repräsentiert dein Bündnisgelübde – als du diesen Bund eingegangen bist, hattest du nicht die vage *Hoffnung*, dein Versprechen eventuell halten zu können, sondern du hattest zuvor sehr wohl darüber nachgedacht und dieses Versprechen öffentlich vor Zeugen abgegeben.

Wie du in diesem Buch bereits einige Male gelesen hast, bist du nicht in der Lage, diesen Bund aus eigener Kraft zu halten. Es gibt einen guten Grund dafür, weshalb die Initiative von Gott ausging, wenn er mit seinem Volk einen Bund schloss. Nur Gott selbst ist in der Lage, die Anforderungen zu erfüllen, die mit seinen Verheißungen einhergehen. Er allein kann denen vergeben, die in diesen Bund eingetreten sind, wenn sie gegen ihren Teil der Vereinbarung verstoßen. Doch aufgrund deines Glaubens an seinen Sohn und der Gnade, die bei deiner Errettung über dir ausgegossen wurde, wohnt der Geist Gottes in dir. Das bedeutet, dass du jetzt deine Rolle in diesem Bündnis ausüben *kannst* – ganz gleich, was auch immer deine Bündnistreue herausfordert.

Es kann mit jedem Tag schwieriger werden, den Bund einzuhalten, wenn dein Partner nicht in der Lage ist, deine Liebe anzunehmen. Doch eine Ehe ist kein Vertrag mit Rücktrittsklauseln oder Ausnahmeregelungen. Sie ist ein Bund, bei dem es darum geht, sämtliche Möglichkeiten des Widerrufs auszuschließen. Nichts auf der Welt sollte das trennen können, was Gott miteinander verbunden hat. Eure Liebe gründet sich auf einen Bund.

Der Prophet Maleachi hat bereits vor Hunderten von Jahren folgende Worte aufgeschrieben, doch noch immer fragen Menschen sich, weshalb Gott seinen Segen zeitweise von ihrer Ehe zurückhält. „Ihr sagt: Weswegen? Deswegen weil der Herr Zeuge gewesen ist zwischen dir und der Frau deiner Jugend, an der du treulos gehandelt hast, wo sie doch deine Gefährtin ist und die Frau deines Bundes ... Denn ich hasse Scheidung, spricht der Herr, der Gott Israels, ebenso wie wenn man sein Gewand mit Unrecht bedeckt, spricht der Herr der Heerscharen. So hütet euch bei eurem Leben und handelt nicht treulos!" (Mal 2,14+16).

Jede Ehe sollte ein Bild für Gottes himmlischen Bund mit seiner Gemeinde sein. Durch eine Ehe sollte der Welt die Herrlichkeit und Schönheit der bedingungslosen Liebe demonstriert werden, mit der Gott uns liebt. Jesus sagte: „Wie der Vater mich geliebt hat, habe auch ich euch geliebt. Bleibt in meiner Liebe!" (Joh 15,9). Lass dich durch seine Worte inspirieren, um für deinen Partner ein Kanal für Gottes Liebe zu sein.

Mann Gottes, Frau Gottes, jetzt ist die Zeit, um euren Bund der Liebe in aller Aufrichtigkeit und mit aller Entschlossenheit zu erneuern. Die Liebe ist ein zu kostbares und heiliges Gut, um sie gegen etwas anderes einzutauschen und ein zu mächtiges Band, als dass es ohne fatale Folgen gebrochen werden könnte. Richte deine Liebe erneut auf den Menschen, den der Herr dir zur Seite gestellt hat, um ihn zu lieben, zu hegen und zu ehren.

Euer gemeinsames Leben liegt vor euch. Ergreift es und lasst es nie wieder los.

Wir fordern euch dazu heraus.

Die heutige Herausforderung

Schreibe erneut eure Ehegelübde auf und bringe es gut sichtbar in eurem Zuhause an. Vielleicht ist es sogar sinnvoll, wenn ihr euer Ehegelübde im Beisein der Familie erneut und vor einem Pastor ablegt – in diesem Fall könntet ihr mit den Planungen beginnen. Mach diese Zeremonie zu einem lebendigen Zeugnis dafür, wie wertvoll die Ehe in Gottes Augen ist und was für eine hohe Ehre es ist, mit deinem Partner eins zu sein.

__ Setze hier ein Häkchen, wenn du
deine heutige Herausforderung bewältigt hast.

- Was hat Gott dir durch dieses Buch offenbart? Inwiefern hat sich deine Sichtweise hinsichtlich deiner Ehe verändert? Wie sehr bist du Gott und deinem Partner ergeben? Wem kannst du Zeugnis ablegen und von deinen Erfahrungen erzählen?

Er gedenkt ewig seines Bundes. (Ps 105,8)

Anhang

Anhang I

Die Blockaden und Schlüssel für effektives Gebet

Viel vermag eines Gerechten Gebet in seiner Wirkung. (Jak 5,16)

Die Blockaden: Zehn Dinge, die Gebet blockieren

1. Wenn man betet und nicht weiß, wer Gott ist, weil man Jesus nicht kennt.
Johannes 14,6 – „Jesus spricht zu ihm: Ich bin der Weg und die Wahrheit und das Leben. Niemand kommt zum Vater als nur durch mich."

2. Wenn man mit einem unbußfertigen Herzen betet.
Psalm 66,18+19 – „Hätte ich Unrecht vorgehabt in meinem Herzen, so hätte der Herr nicht erhört; doch wahrlich, Gott hat erhört, er hat geachtet auf die Stimme meines Flehens" (Schlachter-Übersetzung).

3. Wenn man betet, um gesehen zu werden.
Matthäus 6,5 – „Und wenn ihr betet, sollt ihr nicht sein wie die Heuchler, denn sie lieben es, in den Synagogen und an den Ecken der Straßen stehend zu beten, damit sie von den Menschen gesehen werden. Wahrlich, ich sage euch, sie haben ihren Lohn dahin."

4. Wenn man im Gebet ständig leere Worte wiederholt.
Matthäus 6,7+8 – „Wenn ihr aber betet, sollt ihr nicht plappern wie die von den Nationen; denn sie meinen, dass sie um ihres vielen Redens willen erhört werden. Seid ihnen

nun nicht gleich! Denn euer Vater weiß, was ihr benötigt, ehe ihr ihn bittet."

5. Wenn man es unterlässt, zu beten.
Jakobus 4,2 – „Ihr habt nichts, weil ihr nicht bittet."

6. Wenn man die falschen Motive hat.
Jakobus 4,3 – „Ihr bittet und empfangt nichts, weil ihr übel bittet, um es in euren Lüsten zu vergeuden."

7. Wenn man seinen Partner schlecht behandelt.
1. Petrus 3,7 – „Ihr Männer ebenso, wohnt bei ihnen mit Einsicht ... und gebt (ihnen) Ehre als (solchen), die auch Miterben der Gnade des Lebens sind, damit eure Gebete nicht verhindert werden!"

8. Wenn man die Armen missachtet.
Sprüche 21,13 – „Wer sein Ohr verstopft vor dem Schreien des Armen, der wird auch keine Antwort erhalten, wenn er ruft" (Schlachter-Übersetzung).

9. Wenn man mit Bitterkeit im Herzen betet.
Markus 11,25+26 – „Und wenn ihr steht und betet, so vergebt, wenn ihr etwas gegen jemand habt, damit auch euer Vater, der in den Himmeln ist, euch eure Übertretungen vergebe. Wenn ihr aber nicht vergebt, so wird euer Vater, der in den Himmeln ist, auch eure Übertretungen nicht vergeben."

10. Wenn man mit einem ungläubigen Herzen betet.
Jakobus 1,6-8 – „Er bitte aber im Glauben, ohne irgend zu zweifeln; denn der Zweifler gleicht einer Meereswoge, die vom Wind bewegt und hin und her getrieben wird. Denn jener Mensch denke nicht, dass er etwas von dem Herrn empfangen werde, ist er doch ein wankelmütiger Mann, unbeständig in allen seinen Wegen."

Die Schlüssel: Zehn Dinge für wirksames Gebet

1. Beten, indem man bittet, sucht und anklopft.

Matthäus 7, 7-8+11 – „Bittet, und es wird euch gegeben werden; sucht, und ihr werdet finden; klopft an, und es wird euch geöffnet werden! Denn jeder Bittende empfängt, und der Suchende findet, und dem Anklopfenden wird geöffnet werden ... Wenn nun ihr, die ihr böse seid, euren Kindern gute Gaben zu geben wisst, wie viel mehr wird euer Vater, der in den Himmeln ist, Gutes geben denen, die ihn bitten!"

2. Im Glauben beten.

Markus 11,24 – „Darum sage ich euch: Alles, um was ihr auch betet und bittet, glaubt, dass ihr es empfangen habt, und es wird euch werden."

3. Im Verborgenen beten.

Matthäus 6,6 – „Wenn du aber betest, so geh in deine Kammer, und wenn du deine Tür geschlossen hast, bete zu deinem Vater, der im Verborgenen ist! Und dein Vater, der im Verborgenen sieht, wird dir vergelten."

4. Gemäß des Willens Gottes beten.

1. Johannes 5,14 – „Und dies ist die Zuversicht, die wir zu ihm haben, dass er uns hört, wenn wir etwas nach seinem Willen bitten."

5. In Jesu Namen beten.

Johannes 14,13+14 – „Und was ihr bitten werdet in meinem Namen, das werde ich tun, damit der Vater verherrlicht werde im Sohn. Wenn ihr mich etwas bitten werdet in meinem Namen, so werde ich es tun."

6. Mit anderen Gläubigen in Übereinstimmung beten.
Matthäus 18,19+20 – „Wiederum sage ich euch: Wenn zwei von euch auf der Erde übereinkommen, irgendeine Sache zu erbitten, so wird sie ihnen werden von meinem Vater, der in den Himmeln ist. Denn wo zwei oder drei versammelt sind in meinem Namen, da bin ich in ihrer Mitte."

7. Beten, während man fastet.
Apostelgeschichte 14,23 – „Als sie ihnen aber in jeder Gemeinde Älteste gewählt hatten, beteten sie mit Fasten und befahlen sie dem Herrn, an den sie gläubig geworden waren."

8. Im Gehorsam wandeln.
1. Johannes 3,21+22 – „Geliebte, wenn das Herz uns nicht verurteilt, haben wir Freimütigkeit zu Gott, und was immer wir bitten, empfangen wir von ihm, weil wir seine Gebote halten und das vor ihm Wohlgefällige tun."

9. In Christus und in seinem Wort bleiben.
Johannes 15,7 – „Wenn ihr in mir bleibt und meine Worte in euch bleiben, so werdet ihr bitten, was ihr wollt, und es wird euch geschehen."

10. Seine Lust am Herrn haben.
Psalm 37,4 – „Und habe deine Lust am Herrn, so wird er dir geben, was dein Herz begehrt."

Zusammenfassung der Blockaden und Schlüssel für Gebet.

1. Deine Beziehung zu Gott muss stimmen.
2. Deine Beziehung zu anderen Menschen muss stimmen.
3. Deine Herzenshaltung muss stimmen.

Anhang II

20 Fragen an deinen Partner

Versuche deinem Partner bei einer passenden Gelegenheit die unten stehenden Fragen zu stellen, um mehr über ihn zu erfahren. Sei durchaus offen, falls sich dadurch neue Fragen ergeben, die für dich interessant sind – sorge für eine positive Grundstimmung. Sei mehr darauf bedacht zuzuhören, als selbst zu reden.

Persönliche Fragen

- Was ist deine größte Hoffnung oder dein größter Traum?
- Was genießt du in deinem persönlichen Leben zurzeit am meisten?
- Was gefällt dir gerade am wenigsten in deinem Leben?
- Was wäre dein Traumjob, wenn du es dir aussuchen könntest und dafür bezahlt würdest?
- Was wolltest du immer schon einmal tun, wenn du die Möglichkeit hättest?
- Nenne drei Dinge, die du noch vor Ablauf des kommenden Jahres gerne tun würdest.
- Welcher Mensch gibt dir am meisten Sicherheit, wenn du mit ihm zusammen bist? Warum ist das so?
- Für wen würdest du dich entscheiden, wenn du dir von allen Menschen, die es auf dieser Welt gibt, einen Menschen aussuchen könntest, um mit ihm gemeinsam zu Mittag zu essen? Aus welchem Grund?
- Wann hast du zum letzten Mal überschwängliche Freude empfunden?
- Angenommen, du solltest eine Million Euro vergeben, wem würdest du das Geld geben?

Fragen zu eurer Ehe

- Welche drei Dinge, die ich tue, gefallen dir besonders gut?
- Welche drei Dinge, die ich tue, bringen dich auf die Palme?
- Welches Verhalten meinerseits hat dir in der Vergangenheit das Gefühl gegeben, dass du geliebt bist?
- Welches Verhalten meinerseits gab dir das Gefühl mangelnder Wertschätzung?
- Nenne drei Dinge, an denen ich arbeiten könnte.
- Was würde dir am ehesten das Gefühl geben, dass ich dich liebe?

  Wenn ich dich eine Stunde lang massiere und liebkose?

  Wenn wir uns zusammensetzen würden, um eine Stunde lang über dein Lieblingsthema zu sprechen?

  Wenn du ein sehr schönes Geschenk bekommen würdest?

  Wenn ich dir sagen würde, wie sehr ich dich schätze?
- Welche Dinge würdest du gern ungeschehen machen?
- Welches ist deiner Meinung nach die nächste wichtige Entscheidung, die Gott von uns als Ehepaar erwartet?
- Was wünschst du dir für dein Leben – wie sollte es in fünf Jahren in deinem Leben aussehen?
- Welche Worte würdest du gerne häufiger von mir hören?

Biete deine Unterstützung an und sei ein guter Zuhörer. Lass nicht zu, dass es in diesem Gespräch zu einem Streit kommt und kritisiere deinen Partner nicht. Gib deinem Partner während dieser Zeit die Möglichkeit, sich wirklich mitzuteilen.

Anhang III

Das Wort Gottes in meinem Leben

*Diese Bekenntnisse sollen dir eine Hilfe sein,
den richtigen Zugang zum Wort Gottes zu finden.*

Die Bibel ist das Wort Gottes.

Es ist heilig, unfehlbar und absolut zuverlässig. (Sprüche 30,5-6; Johannes 17,17; Psalm 119,89)

Es ist nützlich zur Lehre, zur Überführung, zur Zurechtweisung und es unterweist mich in der Gerechtigkeit. (2. Timotheus 3,16)

Durch das Wort Gottes gelange ich zu geistlicher Reife und werde ausgerüstet, damit ich für jedes gute Werk bereit bin. (2. Timotheus 3,17)

Es ist eine Leuchte für meinen Fuß, und ein Licht für meinen Pfad. (Psalm 119,105)

Es macht mich weiser als meine Feinde. (Psalm 119,97-100)

Es bringt während der Stürme des Lebens Stabilität in mein Leben. (Matthäus 7,24-27)

Wenn ich glaube, dass es die Wahrheit ist, werde ich frei werden. (Johannes 8,32)

Wenn ich das Wort Gottes in meinem Herzen verwahre, werde ich in Zeiten der Versuchung geschützt sein. (Psalm 119,11)

Wenn ich im Wort Gottes bleibe, werde ich wahrhaft sein Jünger sein. (Johannes 8,31)

Wenn ich über das Wort Gottes meditiere, werde ich Erfolg haben. (Josua 1,8)

Wenn ich sein Wort befolge, werde ich belohnt und meine Liebe wird vollendet werden. (Psalm 19,7-11; 1. Johannes 2,5)

Es ist das lebendige, mächtige Wort Gottes, durch das ich unterscheiden kann. (Hebräer 4,12)

Es ist das Schwert des Geistes. (Epheser 6,17)

Es ist süßer als Honig und begehrenswerter als Gold. (Psalm 19,11)

Sein Wort bleibt für immer bestehen und es steht auf ewig fest im Himmel. (2. Korinther 13,7-8; Psalm 119,89)

Sein Wort ist absolut wahr und fehlerfrei. (Johannes 17,17; Titus 1,2)

Es ist die vollkommene Wahrheit über Gott. (Römer 3,4; Römer 16,25-27; Kolosser 1)

Es ist die vollkommene Wahrheit über den Menschen. (Jeremia 17,9; Psalm 8,4-6)

Es ist die vollkommene Wahrheit über Sünde. (Römer 3,23)

Es ist die vollkommene Wahrheit über Errettung. (Apostelgeschichte 4,12; Römer 10,9)

Es ist die vollkommene Wahrheit über Himmel und Hölle. (Offenbarung 21,8; Psalm 119,89)

Herr, öffne meine Augen, damit ich die Wahrheit erkenne
und öffne meine Ohren, damit ich die Wahrheit höre.
Öffne mein Herz, damit ich die Wahrheit im Glauben empfangen kann.
Erneuere meinen Sinn, damit meine Gedanken von Hoffnung bestimmt sind.
Bestimme meinen Willen, damit ich in Liebe wandle.

Erinnere mich daran, dass ich eine Verantwortung habe,
wenn ich die Wahrheit gehört habe.
Schenk mir das Verlangen, der Wahrheit gehorchen zu wollen.
Verändere mein Leben, damit ich die Wahrheit erkenne.
Lege eine Last auf mein Herz, damit ich die Wahrheit mit anderen teile.

Herr, rede jetzt zu mir.
Gib mir die Leidenschaft, deinen Willen zu erkennen und entsprechend zu handeln.
Nicht mehr, nicht weniger und nichts anderes.

Anhang IV

Lenke dein Herz

Was ist das Herz?

Deine Identität. Dein Herz ist der wichtigste Teil deiner Persönlichkeit. Es ist das Zentrum deines Wesens – dort wohnt dein wahres „Ich". „Das Herz des Menschen entspricht dem Menschen" (siehe Spr 27,19). „Wie ein Mensch in seinem Herzen denkt, so ist er" (siehe Spr 23,7 – entsprechend der englischen King James Version frei wiedergegeben).

Dein Zentrum. Da das Herz sich im Zentrum deines Körpers befindet und das lebensnotwendige Blut in jede Zelle transportiert, wurde das Wort „Herz" über Jahrhunderte hinweg verwendet, um den Ausgangspunkt der Gedanken, Überzeugungen, Werte und Motive zu beschreiben.

Deine Kommandozentrale. Dein Herz ist sozusagen die Zentrale deines Handelns. Das hat zur Folge, dass jeder Bereich deines Lebens durch die Gesinnung deines Herzens beeinflusst wird.

Was ist falsch daran, wenn ich meinem Herzen folge?

Es ist töricht. Die Welt sagt: „Folge deinem Herzen!" Das ist die Philosophie von New-Age-Gurus, Selbsthilfeseminaren und Popsongs. Millionen von CDs und Büchern werden verkauft, weil dieser Slogan sich so romantisch und nobel anhört. Das Problem dabei ist, dass „folge deinem Herzen" in der Regel bedeutet, dass du das tust, wozu du gerade Lust hast, und zwar unabhängig davon, ob es richtig oder falsch ist. Es bedeutet, dass du Warnungen und dein Gewissen übergehst, um deinen Launen und Begierden nachzugehen – ganz gleich, was dein gesunder Menschenverstand dir sagt oder was dir an gutem Rat gegeben wurde. In der Bibel heißt es: „Wer auf seinen Verstand vertraut, der ist ein Tor; wer aber in Weisheit lebt, der wird entkommen" (Spr 28,26).

Es ist ein unzuverlässiger Ratgeber. Menschen vergessen, dass Gefühle oberflächlich, unbeständig und unzuverlässig sind. Sie können schwanken, da sie von

Umständen abhängig sind. In dem Bemühen, ihrem Herzen zu folgen, haben Menschen schon ihre Arbeitsstellen aufgegeben, um in einer miesen Garagenband mitspielen zu können, andere verloren ihre gesamten Ersparnisse, weil sie sie aus einer Laune heraus bei einem Pferderennen setzten und manche Menschen trennten sich von ihrem Partner, weil sie hinter einer attraktiven Mitarbeiterin her waren, die bereits zwei gescheiterte Ehen hinter sich hatte. Was sich unter dem Eindruck von süßen Emotionen richtig anfühlt, entpuppt sich ein paar Jahre später häufig als schrecklicher Fehler. Aufgrund dieser egoistischen Philosophie wurden schon zahllose Ehen geschieden. Sie bietet vielen Menschen einen Vorwand, um sich von ihrer lebenslangen Verpflichtung zu befreien, da sie sich nicht mehr verliebt „fühlen".

Es ist schlecht. Die Wahrheit ist, dass unser Herz egoistisch und sündig ist. In der Bibel heißt es: „Überaus trügerisch ist das Herz und bösartig; wer kann es ergründen?" (Jer 17,9 – Schlachter-Übers.). Jesus sagt: „Denn aus dem Herzen kommen hervor böse Gedanken: Mord, Ehebruch, Unzucht, Diebstahl, falsche Zeugnisse, Lästerungen" (Mt 15,19). Wenn unser Herz nicht wirklich von Gott verändert wird, wird es weiterhin falsche Entscheidungen treffen.

Sollte ich überhaupt jemals meinem Herzen folgen?

König Salomo sagte: „Der Verstand des Weisen ist zu seiner Rechten und der Verstand des Toren zu seiner Linken" (Pred 10,2). Ebenso, wie dein Herz dich zu Hass, Lust und Gewalt bewegen kann, ist es möglich, dass es von Liebe Wahrheit und Güte bewegt wird. Wenn du mit Gott wandelst, wird er Träume in dein Herz legen, die er erfüllen will. Er wird dir auch Fähigkeiten geben, die er zu seiner Ehre freisetzen möchte (siehe 2 Mose 35,30-35). Er wird den Wunsch in dich hineinlegen, dass du geben (siehe 2 Kor 9,7) und ihn preisen möchtest (siehe Eph 5,19). Wenn du zuallererst nach ihm trachtest, wird er dir deine Herzenswünsche erfüllen. In der Bibel heißt es: „Und habe deine Lust am Herrn, so wird er dir geben, was dein Herz begehrt" (Ps 37,4). Du kannst nur dann zuversichtlich deinem Herzen folgen, wenn du weißt, dass du Gott dienen und ihm wohlgefallen willst.

Warum reicht es nicht aus, wenn ich meinem Herzen folge?

Weil unser Herz so unbeständig und überaus unzuverlässig ist, vermittelt uns die Schrift eine viel stärkere Botschaft als: „Folge deinem Herzen." Das Wort Gottes unterweist dich, *dein Herz zu lenken.* Das bedeutet, dass du die volle Verantwortung für den Zustand deines Herzens trägst. Mach dir bewusst, dass du die Kontrolle darüber hast, worauf du dein Herz richtest. Gott hat dir die Autorität gegeben, dein Herz von bestimmten Dingen abzuwenden und anderen Dingen zuzuwenden. Durch die folgenden Verse wird deutlich, dass du dein Herz lenken kannst.

Spr 23,17 „Dein Herz sei nicht eifersüchtig auf die Sünder." (Schlachter-Übers.)

Spr 23,19 „Leite dein Herz den geraden Weg!"

Spr 23,26 „Gib mir, mein Sohn, dein Herz, und deine Augen lass an meinen Wegen Gefallen haben!"

1 Kön 8,61 „Und euer Herz sei ungeteilt mit dem Herrn, unserem Gott."

Joh 14,27 „Euer Herz werde nicht bestürzt, sei auch nicht furchtsam."

Jak 4,8 „... reinigt die Herzen."

Jak 5,8 „... stärkt eure Herzen."

Wie lenke ich mein Herz?

Zuerst musst du verstehen, dass dein Herz deinen Investitionen folgt. Alles, worauf du deine Zeit, dein Geld und deine Energie verwendest, wird für dein Herz interessant. Diese Tatsache bewahrheitete sich schon, bevor du verheiratet warst. Du schriebst Briefe, du kauftest Geschenke – als Pärchen verbrachtet ihr Zeit miteinander und dein Herz folgte deinem Interesse. Als du nicht mehr so viel in eure Beziehung investiertest und dich anderen Dingen zuwandtest, folgte dein Herz ebenfalls deinen neuen Interessen. Wenn du heute nicht mehr in deinen Partner verliebt bist, liegt das möglicherweise daran, dass du gestern nicht mehr in deinen Partner investiert hast.

Überprüfe dein Herz. Einer der Schlüssel, wie du dein Herz erfolgreich lenken kannst, ist der, dass du dir ständig darüber im Klaren bist, wovon es bestimmt wird. Weißt du, was für dein Herz gerade das Wichtigste ist? Das findest du heraus, wenn du dir anschaust, wofür du im vergangenen Monat deine Zeit und dein Geld verwendet hast und worüber du unentwegt sprichst.

Beschütze dein Herz. Wenn dein Herz mit etwas Negativem versucht wird, ist es deine Verantwortung, dein Herz vor dieser Versuchung zu bewahren. In der Bibel heißt es: „Mehr als alles, was man sonst bewahrt, behüte dein Herz!" (Spr 4,23). Lass nicht zu, dass deinem Herzen Geld oder deine Arbeit wichtiger wird als dein Partner und deine Familie. Lass nicht zu, dass dein Herz nach der Schönheit einer anderen Frau gelüstet (siehe Spr 6,25). In der Bibel heißt es: „Wenn der Reichtum wächst, richtet euer Herz nicht darauf!" (Ps 62,11).

Richte dein Herz aus. Der Apostel Paulus lehrte: „Richtet euer Herz auf die Dinge, die oben sind, wo Christus zur Rechten Gottes ist" (Kol 3,1 – gemäss der NIV frei wiedergegeben). Es ist Zeit, dass du erkennst, worauf dein Herz fixiert sein sollte und dann die entsprechende Ausrichtung vornimmst. Du sagst: „Eigentlich *möchte* ich ja gar nicht wirklich in meine Ehe investieren – ich tue lieber dieses oder jenes." Ich weiß. Du hast dein Herz schon über einen längeren Zeitraum an andere Dinge gehängt und jetzt steckst du in der „Folge-deinem-Herzen-Mentalität" fest. Du musst dich aber nicht länger von deinen Gefühlen leiten lassen. Du wirst dann von „Begierde" bestimmt, wenn du dein Herz auf etwas richtest, das falsch und verboten ist. Die Entscheidung, ob du dein Herz von den negativen Dingen abwendest und auf das richtest, was richtig ist, liegt bei dir.

Investiere dein Herz. Warte nicht darauf, bis du dich danach fühlst, das Richtige zu tun. Warte nicht so lange, bis du für deinen Partner wieder etwas empfindest, ehe du wieder etwas in deine Beziehung investierst. Fange jetzt an, in deine Ehe zu investieren, denn darauf sollte dein Herz ausgerichtet sein. Verbringe Zeit mit deinem Partner. Kaufe Geschenke. Schreibe Briefe. Geh mit deinem Partner aus. Je mehr du investierst, desto kostbarer wird dir diese Beziehung. Darum geht es schließlich bei *40 Tage Liebe wagen* – dass dein Herz innerhalb von 40 Tagen so verändert wird, dass du deinen Partner wieder liebst.